UNIVERSALE PAPERBACKS IL MULINO

834.

I lettori che desiderano informarsi
sui libri e sull'insieme delle attività della
Società editrice il Mulino
possono consultare il sito Internet:

www.mulino.it

MATTHIAS EGELER

IL SANTO GRAAL

Storia del calice di Cristo da Artù a Indiana Jones

IL MULINO

ISBN   978-88-15-38854-4

Edizione originale: *Der Heilige Gral, München*, Beck, 2019. Copyright © 2019 by Verlag C.H. Beck oHG, München. Copyright © 2024 by Società editrice il Mulino, Bologna. Integrazioni all'edizione italiana di Claudio Lagomarsini. Traduzione di Carla Salvaterra.

Redazione e produzione: Edimill srl - www.edimill.it

INDICE

PREFAZIONE

Se si vuole visitare un luogo strettamente legato al Graal, ce n'è uno in particolare: Wirrall Hill, sopra la città di Glastonbury, nell'Inghilterra meridionale. È una collina alta solo poche decine di metri, ma poiché si innalza ripidamente dalla pianura costiera dei Somerset Levels, apre ampie vedute in quasi tutte le direzioni. Solo a est la vista è limitata da un'altra collina, la vicina Glastonbury Tor, sulla cui cima la torre di una vecchia chiesa, ora distrutta, costituisce un punto di riferimento importante.

Poco sotto la cima di Wirrall Hill c'è un biancospino. Una leggenda locale racconta che un tempo, nei giorni immediatamente successivi alla Crocifissione di Gesù, Giuseppe d'Arimatea portò il Graal dalla Terra Santa in Inghilterra. Di là arrivò infine a Glastonbury, e quando ebbe scalato la ripida collina, conficcò il suo bastone nel terreno e disse (per qualche oscura ragione in inglese) *Are we not weary all* («Non siamo tutti stanchi»). Da allora la collina è chiamata «Weary-all (Wirrall) Hill» (fig. 1). Il bastone mise le radici, germogliò rami e foglie e divenne il progenitore del biancospino che si trova ancora oggi sulla collina. I discendenti del biancospino di Giuseppe – il cespuglio sulla collina e altri più in basso nel villaggio di Glastonbury – fioriscono due volte all'anno, di cui una a dicembre; e un ramo di questi cespugli viene inviato ogni anno alla famiglia reale britannica per abbellire la tavola della colazione di Natale. Si dice inoltre che lo stesso Giuseppe d'Arimatea si stabilì a Glastonbury dove fondò un monastero; secondo la leggenda l'abbazia di Glastonbury, che fu soppressa da Enrico VIII nel 1539, sarebbe il monastero originale del Graal. E il Graal stesso si troverebbe da qualche parte nella Chalice Hill («Collina del Calice») tra Glastonbury Tor e Wirrall Hill, colorando di rosso

7

l'acqua che sgorga nel Chalice Well («Pozzo del Calice») ai piedi della Glastonbury Tor.

A Glastonbury il Graal è concretamente presente in molti luoghi del paesaggio: nelle colline e nella macchia di biancospino, nella sorgente e nelle rovine dell'abbazia. Questa presenza nello spazio si combina qui inoltre con una significativa presenza di diverse correnti religiose. Glastonbury è di fatto la capitale della religiosità alternativa in Gran Bretagna e in questo contesto alle leggende locali del Graal viene attribuito un significato che assume una vera e propria connotazione religiosa. Il Graal in questi luoghi non è solo una storia affascinante, ma è un'entità concreta nella vita religiosa: il Chalice Well, per esempio, si trova ora in un giardino espressamente destinato alla contemplazione spirituale e si dice che la sua acqua ferruginosa (l'acqua del Graal) abbia poteri curativi.

Questo volumetto vuole essere una breve introduzione al mito del Santo Graal. Per quasi un millennio esso è stato uno dei grandi temi dell'immaginario europeo e ha affascinato e impegnato scrittori, artisti e religiosi alla ricerca del senso della vita. Specialmente nel Medioevo, il fascino del Graal assunse sempre più una dimensione religiosa; ma l'esempio di Glastonbury illustra come il Graal possa destare ancora oggi un profondo anelito religioso. Negli oltre ottocento anni di storia del mito del Graal c'è stata una tale quantità di dibattiti su questo argomento, che è impossibile censirli tutti. Si deve quindi fare una selezione, tanto più in una breve introduzione come questa. Lo scopo del libro è infatti offrire uno spaccato della storia del Graal sulla base di alcuni esempi significativi, che vanno dai suoi possibili inizi nella mitologia dei Celti delle isole britanniche fino ai giorni nostri, attraverso singoli episodi rappresentativi. In particolare, nel trattare la ricezione del Graal a partire dal XIX secolo, si presterà attenzione a quei processi che hanno avuto un'ampia diffusione o in cui la dimensione religioso-spirituale della leggenda dispiega ancora i suoi effetti.

Il Graal è dunque presentato qui non solo come un fenomeno artistico e letterario, ma come un elemento della storia religiosa europea. In questo senso, il primo capitolo delinea il contesto del mito del Graal nella prima

FIG. 1. La vista da Wirrall Hill verso i Somerset Levels e, all'orizzonte, la Glastonbury Tor, sormontata da una torre, ciò che resta dell'antica chiesa di San Michele. In primo piano, il tronco del biancospino di Glastonbury, che si dice discenda dal bastone di Giuseppe d'Arimatea. La chioma venne asportata da ignoti nel 2010, presumibilmente un atto di vandalismo religioso fondamentalista contro la «Spina Santa» di Glastonbury come punto di cristallizzazione di una mitologia ricca e complessa.

letteratura arturiana, la sua prima formulazione da parte del poeta francese Chrétien de Troyes e la questione delle possibili radici del Graal nei miti precristiani. Il secondo capitolo descrive poi i punti chiave dell'ulteriore sviluppo del mito del Graal nella letteratura del Medioevo. Il terzo capitolo è dedicato alla riscoperta del Graal nell'arte e nella letteratura tedesca e inglese del XIX secolo. Infine il quarto capitolo tratta gli aspetti della sua ricezione nel XX e nel XXI secolo. Non ci si concentra solo su film e letteratura, ma soprattutto sui tentativi di cercare, identificare e localizzare il Graal come oggetto reale: per esempio, la ricerca del Graal da parte dello sfortunato Otto Rahn, che arrivò a essere un membro dello staff personale di Heinrich Himmler nel Terzo Reich, prima di venire spinto al suicidio, e varie permutazioni del «vero» Graal a Glastonbury, in Inghilterra, come la coppa di vetro blu del dottor John Goodchild. Questa edizione italiana è stata integrata da un approfondimento sulla raccolta del sangue di Cristo nel calice dell'Ultima Cena (pp. 41-42) e da un paragrafo dedicato alla fortuna romanza del Graal in Provenza, Italia, Spagna e Portogallo (pp. 52-55), ad opera di Claudio Lagomarsini.

CAPITOLO PRIMO

DAL MITO AL MISTERO:
LA PRIMA LETTERATURA ARTURIANA, CHRÉTIEN DE TROYES E LE RADICI MITOLOGICHE CELTICHE DEL GRAAL

1. *La cornice della saga del Graal: i racconti di re Artù*

I più antichi riferimenti al Graal appartengono alla letteratura arturiana, ed è solo a partire dal XX secolo che alcune varianti della leggenda del Graal si sono liberate della loro connessione con re Artù. Tuttavia, non è vero il contrario: sebbene praticamente tutta la prima letteratura del Graal sia letteratura arturiana, la letteratura arturiana non è la letteratura del Graal, perché i primi racconti arturiani non conoscono ancora il Graal – almeno non con il nome di «Graal».

La prima visione complessiva a noi accessibile della biografia di re Artù – e quindi il quadro di riferimento della letteratura arturiana – fu formulata nella prima metà del XII secolo in Gran Bretagna. Intorno al 1136 Geoffrey di Monmouth (1100-1154 circa) completò la sua *Historia regum Britanniae* (*Storia dei re di Britannia*). Quest'opera, scritta in latino, tratta la storia della Gran Bretagna dalle sue presunte origini al VII secolo. Geoffrey si riferisce come fonte a un libro «antico» in lingua locale «britannica» (gallese?), che egli sostiene esistesse prima della sua opera; non si può accertare con sicurezza fino a che punto ciò sia storicamente corretto o sia un artificio letterario inteso a conferire autorità al racconto. In ogni caso, la *Storia dei re di Britannia* ha poco a che fare con la storiografia in senso moderno. Il modo in cui Geoffrey elabora il materiale narrativo è fortemente improntato alla leggenda, e il VI secolo – il tempo presunto di re Artù – occupa uno spazio del tutto sproporzionato, comprendendo una buona metà del testo. Per lo sviluppo della letteratura arturiana il testo di Geoffrey fu tuttavia più influente di qualsiasi altro. Con quest'opera egli creò una cornice entro cui si poté inserire il successivo sviluppo delle leggende che circondano re Artù. Anche molti degli elementi soprannaturali di questo mondo narrativo diventano tangibili per noi per la prima volta nell'opera di Geoffrey o furono creati proprio da lui nella forma in cui avrebbero poi avuto il loro maggiore effetto. Per esempio, egli è il primo a menzionare il mago Merlino e l'isola di Avalon, dove Artù viene portato in fin di vita per essere guarito dalle ferite mortali che aveva subìto.

I due motivi di Avalon e Merlino ci mostrano una miscela di innovazione letteraria alto-medievale e di radicamento nelle tradizioni dei Celti delle isole britanniche che è caratteristica della prima letteratura arturiana. Il legame con il mondo celtico è così centrale nel materiale arturiano che gli è valso il nome di *matière de Bretagne*, «materia di Bretagna» o «ciclo bretone». Tuttavia, resta aperta la questione se «Bretagna» si riferisca alla Gran Bretagna, dove le lingue celtiche erano ancora parlate all'epoca, in particolare nel Galles e in Cornovaglia, o alla Bretagna nella Francia occidentale, che era anch'essa allora prevalentemente di lingua celtica, come lo è in parte ancora oggi. Avalon e Merlino sono esempi utili per illustrare quanto a ritroso questo ritorno alle tradizioni narrative celtiche possa andare nella letteratura arturiana, e quindi saranno discussi più in dettaglio in seguito.

Avalon è menzionata nella *Storia dei re di Britannia* di Geoffrey come l'isola dove Artù viene portato dopo essere stato ferito mortalmente nella sua ultima battaglia. Geoffrey tratta Avalon in modo più dettagliato nella sua *Vita Merlini* (*Vita di Merlino*), scritta un poco più tardi: un lungo poema in esametri latini che risale probabilmente agli anni tra il 1148 e il 1154. In questo testo Avalon è un'isola paradisiaca i cui abitanti vivono assai più a lungo dei comuni mortali e che è governata da nove sorelle che conoscono la magia e la guarigione. La signora dell'isola – Morgana – si prende cura del re; anche se si dice espressamente che Artù aveva subìto ferite mortali, lei promette di guarirlo se in cambio lui rimarrà ad Avalon per molto tempo. Geoffrey abbellisce il suo racconto con molteplici prestiti dalla mitologia classica romana, per questo il grado di eredità celtica nel mito di Avalon è stato giudicato in modo molto diverso dagli studiosi. Tuttavia, se si considerano il primo resoconto dettagliato di Geoffrey su Avalon e gli altri adattamenti del materiale più risalenti nel tempo, è chiaro che l'isola di Avalon nella letteratura arturiana trova la sua corrispondenza più vicina nelle isole ultraterrene della letteratura irlandese. In quel contesto, per esempio, il racconto dell'VIII secolo *Immram Brain maic Febail* (*Il viaggio per mare di Bran figlio di Febal*) descrive il rapimento di un re eroico in un'isola governata da figure femminili ultraterrene, dove non esiste la morte, proprio come Artù sfugge a morte certa nelle mani delle magiche guaritrici di Avalon. Inoltre, le mele magiche nel viaggio in mare di Bran hanno un ruolo essenziale nel modo in cui il re viene attirato su quest'isola e su come l'isola viene rappresentata. Questo trova una corrispondenza nella letteratura arturiana nel fatto che si è ipotizzato che il nome di Avalon significhi «isola delle mele»: Geoffrey dichiara già che Avalon è l'*insula pomorum*. Così Avalon, in quanto isola abitata da donne ultraterrene, mele e immortalità, e in quanto luogo di destinazione del rapimento di un re, in un modo o nell'altro sembra avere radici nella mitologia dei Celti delle isole britanniche, dove gli stessi elementi nella medesima combinazione sono attestati molto prima.

Merlino, d'altra parte, trova la sua controparte celtica in Gran Bretagna più che in Irlanda. Nella letteratura gallese è noto infatti Myrddin, un guerriero del VI secolo che impazzì in battaglia e visse in seguito per molti anni nelle lande desolate della Scozia. Lo stesso personaggio, con il nome di Lailoken, appare anche nelle fonti medievali, dove assume i tratti di un veggente. Geoffrey riprese questa figura e ne fece un profeta straordinario. Soprattutto, però, gli diede il nome che da quel momento avrebbe portato nella letteratura arturiana. Poiché Geoffrey scriveva in latino, latinizzò i nomi dei suoi personaggi; ma il suo pubblico era costituito dalle classi superiori anglo-normanne di lingua francese che dominavano l'Inghilterra del tempo. Se Geoffrey avesse latinizzato Myrddin allo stesso modo degli altri suoi protagonisti, lo avrebbe chiamato «Merdinus» – nome che sarebbe suonato piuttosto imbarazzante per un pubblico francofono. Così Merlino deve la sua forma letteraria nei successivi racconti arturiani a una mescolanza tra la figura celtica di un veggente e la sensibilità anglo-normanna.

Una radice importante della letteratura arturiana si trova quindi nelle narrazioni tradizionali dei Celti delle isole britanniche. Nonostante questa forte connotazione locale, la letteratura arturiana divenne presto un fenomeno internazionale. Geoffrey di Monmouth è il primo autore conosciuto ad aver scritto testi arturiani, ed è stato determinante nel dare a questa letteratura la sua forma successiva. Già ai suoi tempi, comunque, le storie su re Artù erano molto diffuse: sin dalla prima metà del XII secolo la tradizione narrativa che circonda il re britannico aveva una dimensione paneuropea. In questo periodo la sua presenza diventa tangibile nell'arte dell'Italia settentrionale. Nel secondo quarto del XII secolo un portale laterale del duomo di Modena, la Porta della Pescheria, fu decorato con un rilievo raffigurante diversi cavalieri che attaccano un castello in cui una donna sembra essere tenuta prigioniera (fig. 2). Dal momento che tutte le figure hanno i loro nomi iscritti – tra gli altri *Artus de Bretania* (Artù di Britannia), *Galvaginus* (Gauvain, Galvano), *Che* (Kai, Kay) e, come prigioniera nel castello, *Winlogee* (Ginevra) – è certo che si tratta di materiale arturiano; quale, tuttavia, non è chiaro, poiché la narrazione relativa a questo rilievo non sembra essere stata conservata. Il rilievo di Modena attesta quindi due fatti importanti: in primo luogo, i testi superstiti della letteratura arturiana rappresentano solo la punta dell'iceberg; e in secondo luogo, già al tempo in cui i primi testi venivano scritti, le storie erano diffuse in forma orale in tutta l'Europa occidentale e meridionale.

L'uso di un motivo delle saghe eroiche che circondano re Artù per decorare una chiesa non era così insolito in quell'epoca come potrebbe forse sembrare oggi. Nel 1165 un grande mosaico pavimentale fu posato nella cattedrale di Otranto, in Puglia, un mosaico nel quale è raffigurato *Rex Arturus*, «re Artù», accanto a motivi religiosi. Più tardi, inoltre, il tema del Graal collocò spesso la letteratura arturiana in un quadro religioso. L'atteggiamento della Chiesa nei confronti della fiorente tradizione narrativa che circondava questo re non fu per altro sem-

FIG. 2. Il rilievo arturiano della Porta della Pescheria del duomo di Modena: *Artus de Bretania* salva la sua regina tenuta prigioniera in un castello.

pre positivo e senza riserve. All'inizio del XIII secolo (probabilmente negli anni tra il 1219 e il 1223) il chierico tedesco Cesario di Heisterbach registrò un aneddoto nel suo *Dialogus miraculorum* (*Dialogo dei miracoli*), secondo il quale un certo abate aveva il problema che i suoi monaci si addormentavano regolarmente durante il sermone. Un giorno ne ebbe abbastanza, e mentre i monaci dormivano, pronunciò il nome «Artù» – e tutti furono immediatamente svegli e vigili. L'abate, naturalmente, colse l'occasione per fare la predica ai monaci poiché essi dormivano mentre lui parlava di Dio, ma si svegliavano immediatamente alla prima sciocchezza.

Per quanto possano essere stati disapprovati da alcune (e solo da alcune) autorità ecclesiastiche, i racconti di re Artù e dei suoi cavalieri erano immensamente popolari. Soprattutto nei paesi «britannici», cioè nelle zone di lingua gallese della Gran Bretagna e in Bretagna, erano molto più che semplice letteratura per i loro ascoltatori. Per esempio, l'autore anglo-romano Guglielmo di Malmesbury ricorda intorno al 1125 che, ai tempi di Guglielmo il Conquistatore, fu scoperta nel Galles la tomba di Gauvain, uno dei

15

famosi cavalieri della Tavola Rotonda. In questo resoconto Guglielmo lascia intendere beffardamente che, poiché non si conosceva la tomba di re Artù, «vecchie nenie» raccontavano che un giorno sarebbe tornato. Un gruppo di chierici di Laon, che visitò il Devon e la Cornovaglia nel 1113 per raccogliere fondi con l'aiuto di un miracoloso sacello mariano, si trovò addirittura al centro di una rissa collettiva a causa di questa credenza. Ermanno di Laon scrive nei suoi *De miraculis sanctae Mariae Laudunensis* (*Miracoli di Santa Maria di Laon*) che il suddetto sacello, che i monaci di Laon si portavano appresso, aveva guarito un cieco e un sordo in un villaggio, e che infine fu visitato da un giovane con una mano paralizzata, il quale però cominciò a litigare con uno dei servi dei chierici sulla questione se re Artù fosse ancora vivo, e la rissa si trasformò presto in una vera e propria rivolta. Alla fine, un gran numero di uomini armati prese d'assalto la chiesa dove era avvenuto l'incidente e solo l'intervento di un ecclesiastico locale impedì uno spargimento di sangue. Ermanno non può evitare di notare che il giovane non fu guarito, e instaura un paragone con la situazione in Bretagna: anche i Bretoni infatti avrebbero regolarmente litigato con i Franchi per la stessa questione. Nella letteratura del XII secolo altri autori menzionano – di solito con scherno e disprezzo – il fatto che i Britanni e i Bretoni avrebbero atteso il ritorno di re Artù, che perciò da eroe si trasforma in Messia.

Come nel caso di Avalon e del mago Merlino, è probabile che anche questo sviluppo sia profondamente radicato nelle tradizioni eroico-mitiche dei Celti delle isole britanniche. Si è già menzionato il racconto irlandese del *Viaggio per mare di Bran figlio di Febal*, che descrive una terra di donne al di là del mare, un luogo che ricorda in modo impressionante l'isola di Avalon. Questo racconto contiene un passaggio in cui Bran incontra il vecchio dio del mare Manannán. Il dio informa Bran di essere in viaggio verso l'Irlanda: lì genererà un figlio di nome Mongán, che però verrà riconosciuto da un altro uomo come suo figlio. Questo bambino diventerà un re potente e saggio e un grande guerriero, che trionferà sui suoi nemici sul campo di battaglia. Allo stesso tempo avrà stretti rapporti con gli esseri dell'altro mondo. Tuttavia, il suo tempo nel mondo degli uomini sarà limitato, perché dopo una vita straordinaria verrà ferito mortalmente in battaglia e portato via da una «bianca schiera su un carro di nuvole» in un Aldilà paradisiaco. La biografia di Mongán mostra quindi analogie sorprendenti con la biografia di re Artù: così come Mongán è apparentemente concepito da Manannán con una donna sposata, Artù è il figlio illegittimo di Uterpendragon, re di Britannia, e Ygerne, la moglie di Gorlois, conte di Cornovaglia. Entrambi sono re esemplari ed eroi eccezionali; entrambi sono strettamente connessi con il soprannaturale; entrambi subiscono una ferita mortale in battaglia alla fine della loro vita nel mondo degli uomini; ed entrambi vengono poi rapiti in un paradisiaco Aldilà prima che sopraggiunga la morte. Se si confronta la biografia di re Artù con quella del re irlandese Mongán, allora sorge il sospetto che Artù non sia un *unicum*, ma rappresenti l'esempio più famoso di un re mitico ed eroico in un modello diffuso nello spazio insulare celtico. In questo contesto è forse un po' meno sorprendente che tra i Britanni e i Bretoni ci fosse una fede entusiasta nel suo ritorno. Se elementi centrali della letteratura arturiana come Avalon, Merlino e persino la biografia di re Artù sono basati sulla narrativa celtica, allora lo stesso può essere vero per il Graal. Prima di approfondire questa questione si deve innanzitutto illustrare la testimonianza univoca più antica relativa al Graal.

2. Il primo poema del Graal: il «Perceval» di Chrétien de Troyes

La prima biografia di re Artù è, come già ricordato sopra, parte della *Storia dei re di Britannia* di Geoffrey di Monmouth, ma in quell'opera il Graal non è ancora menzionato. Il Graal fa la sua apparizione, e già con un ruolo di primo piano, nel romanzo in versi in francese antico *Perceval* di Chrétien de Troyes. Abbiamo pochi dati certi sulla vita di questo poeta, tanto che non si conoscono nemmeno le date esatte della sua nascita e morte. Chrétien era originario di Troyes, nel Nord della Francia, ed era attivo nella seconda metà del XII secolo. Probabilmente dal 1164 al 1180 circa soggiornò alla corte della contessa Maria di Champagne, figlia del re francese Luigi VII; la nipote di Maria, Giovanna I di Fiandra (1200-1244), avrebbe in seguito promosso la *Terza Continuazione* del *Perceval* di Chrétien a opera di un certo Manessier, su cui torneremo. Questo dettaglio illustra fino a che punto la storia iniziale del Graal fosse intrecciata con le case regnanti francofone dell'Alto Medioevo: il Graal, come ci appare nei poemi a esso dedicati giunti fino a noi, è una creazione della cultura delle corti dell'alta nobiltà.

Chrétien scrisse cinque romanzi in versi su temi della leggenda arturiana. Il primo, *Erec et Enide* (*Erec e Enide*), compilato probabilmente intorno al 1170, si allontana dallo schema della *Storia dei re di Britannia* e dai suoi vari adattamenti: quest'opera non pretende più di essere una ricostruzione storica, ma segue il destino e le avventure di un singolo personaggio, in questo caso il cavaliere Erec, e la sua relazione non sempre serena con la moglie Enide. In questo modo Chrétien definisce la struttura di base dei racconti arturiani medievali, che dominerà il genere da allora in avanti. Artù stesso è una figura sullo sfondo; al centro della storia ci sono uno o pochi cavalieri che partono dalla corte di Artù per vivere avventure e compiere grandi gesta, e che vi fanno ritorno alla fine. Il secondo romanzo arturiano di Chrétien, *Cligès*, è di nuovo incentrato sui temi dell'amore e del matrimonio, e in particolare sulla dissoluzione di un triangolo amoroso; in questo contesto la corte arturiana offre all'eroe eponimo Cligès un luogo di ritiro e di protezione. *Lancelot ou le Chevalier de la charrette* (*Lancillotto o il cavaliere della carretta*) racconta del rapimento della regina Ginevra dalla corte di Artù e del suo salvataggio da parte di Lancillotto; il materiale è particolarmente dirompente in quanto tratta dell'amore adultero tra la regina di Artù e il fidato cavaliere del re. Secondo Chrétien, il tema di questo romanzo in versi gli fu assegnato da Maria di Champagne. *Yvain ou le Chevalier au lion* (*Yvain, o il cavaliere del leone*) racconta come Yvain conquisti il favore di una donna attraverso gesta cavalleresche, ma poi la trascuri per compiere ulteriori gesta eroiche, portando così a una crisi che si conclude felicemente solo dopo molte ardue avventure.

In questi primi quattro romanzi in versi il tema dell'amore è al centro. Il cavaliere conquista l'amore di una donna attraverso le sue azioni, ma allo stesso tempo si crea una tensione tra l'amore e la cavalleria, poiché gli intrecci sorgono sia quando il cavaliere trascura la cavalleria per il suo amore, sia quando predilige la cavalleria all'amore. L'ultimo romanzo in versi di Chrétien, il cui tema gli fu affidato dal conte Filippo I di Fiandra, *Le Roman de Perceval ou le Conte du Graal* (*Il romanzo di Perceval o il racconto del Graal*), invece sposta il focus dell'attenzione. Questo romanzo tratta del significato dell'essere un cavaliere, di come un cavaliere dovrebbe comportarsi, e afferma che il desiderio di una vita da cavaliere non può essere giustificato sempre e comunque. Infatti, le difficoltà e le sofferenze dell'eroe Perceval e di coloro che lo circondano derivano, in definitiva, dalla sconsideratezza con cui egli persegue il suo desiderio di diventare un cavaliere, in conseguenza del quale pecca persino contro la sua stessa madre.

La vera e propria storia del Graal inizia con il *Perceval*, vale a dire il primo testo esistente che menziona il Graal, il quale è anche il centro della narrazione, poiché è l'oggetto della ricerca dell'eroe protagonista della storia. Quando Perceval vede il Graal per la prima volta trascura di chiedere quale sia il significato della processione nella quale viene condotto, a causa di regole di etichetta mal comprese. Nel contesto narrativo del romanzo del Graal, ciò rappresenta un errore che fa precipitare il paese nel disastro e a cui solo Perceval può rimediare, recuperando il Graal e la domanda mancata. È essenziale per la motivazione della trama che Perceval, al suo primo incontro con il Graal, non conosca quale sia la sua natura; anche i lettori e gli ascoltatori della narrazione sono lasciati all'oscuro. Alla fine del romanzo la domanda avrebbe dovuto presumibilmente avere una risposta, ma Chrétien morì prima di poter completare l'opera. La questione di cosa sia esattamente il Graal di Chrétien rimase quindi aperta, creando uno spazio che l'immaginazione delle generazioni successive avrebbe potuto riempire, ed è esattamente quello che accadde. Subito dopo la morte di Chrétien altri autori iniziarono a scrivere storie in cui davano la loro spiegazione della natura del Graal. Nel giro di pochi decenni vennero compilate addirittura quattro *Continuazioni* del *Perceval*, che avevano lo scopo di portare a conclusione il romanzo incompiuto di Chrétien, e che saranno discusse più in dettaglio in seguito. Furono scritte anche prefazioni al *Perceval* e altri testi autonomi sempre sul Graal. Il *Perceval* divenne così il testo, ancora oggi esistente, più importante per la storia del mito del Graal.

In considerazione di questo ruolo centrale dell'opera, sembra opportuno riassumerne la trama.

Il romanzo inizia con un'ampia dedica al conte Filippo I di Fiandra, che non solo avrebbe generosamente sostenuto il lavoro del poeta ma, come scrive Chrétien, gli avrebbe persino fornito il materiale per il poema nel caso di *Perceval*: infatti la storia del Graal che Chrétien vuole raccontare sarebbe basata su un libro procuratogli dal conte Filippo, cui Chrétien si riferisce ripetutamente nella sua opera, citandolo come fonte d'autorità per vari dettagli.

La storia racconta di un ragazzo gallese di nome Perceval, cresciuto dalla madre, rimasta vedova, nel profondo della foresta, lontano dalla società di corte, così da impedirgli in ogni modo di conoscere la cavalleria: poiché suo padre prima di morire è diventato invalido a causa di una ferita di guerra e i suoi due fratelli sono stati uccisi in battaglia, la donna non vuole assolutamente che Perceval scelga lo stesso percorso di vita. Un giorno, però, proprio mentre si sta esercitando nella foresta nell'uso delle sue lance, che utilizza per cacciare, un gruppo di cavalieri viene verso di lui. Perceval non ha mai visto un cavaliere e prima pensa che siano demoni, poi angeli, e il loro capo nella sua armatura splendente Dio stesso. Divertito dalla stupidità e dall'ingenuità del ragazzo, il capo del gruppo risponde pazientemente alle domande di Perceval («A cosa serve una lancia?», «I cavalieri nascono con la cotta di maglia?»), il quale viene a sapere che si può diventare cavalieri se si è nominati alla corte di re Artù, e vuole farlo. Quando racconta alla madre di questo incontro, lei sviene; ma Perceval non si cura della disperazione in cui la fa sprofondare con il suo desiderio di diventare cavaliere. Quando la donna si rende conto che non può dissuaderlo, affida al figlio, completamente inesperto e ignaro del mondo, alcuni buoni consigli.

Perceval dunque parte e pur vedendo la madre cadere a terra si allontana ugualmente sul suo cavallo. Seguendo i consigli della donna in modo del tutto ingenuo e letterale, Perceval mette sé stesso e (soprattutto) gli altri nei guai. Ciò nonostante trova il modo di arrivare alla corte di re Artù a Carlion, si fa amici e nemici, ottiene un'armatura e un cavallo da guerra (uccidendo il precedente proprietario con una lancia) e incontra un nobile, Gorneman de Gorhaut, che alla fine lo fa cavaliere e gli insegna le basi dell'uso delle sue nuove armi. Poiché Perceval vuole andare a far visita alla madre per vedere come sta, rifiuta l'offerta di Gorneman di rimanere più a lungo nel suo castello e continuare a imparare ancora da lui. Quando se ne va, Gorneman gli dà altri consigli, tra cui quello di non parlare troppo – cosa che avrà conseguenze disastrose in seguito. Quindi Perceval parte per tornare a casa.

Ben presto, però, viene distratto dal suo obiettivo. Poco dopo la partenza raggiunge il castello della bella nipote di Gorneman, Biancofiore. Il castello è sotto assedio e sta per arrendersi. Perceval si innamora immediatamente dell'affascinante ragazza e sconfigge gli assedianti in una serie di duelli; solo dopo aver inviato l'ultimo prigioniero a re Artù, Perceval riparte, non senza aver promesso alla signora del castello che tornerà presto e la sposerà.

Dopo un giorno di viaggio arriva a un fiume profondo e veloce che non può attraversare con il suo cavallo. Cavalca lungo la riva in cerca di un guado finché improvvisamente vede una barca in cui sono seduti due uomini; uno di loro sta pescando con una lenza e un pesciolino come esca. Quando Perceval li chiama, i due gli dicono che per molte miglia non c'è né un guado né un ponte né un traghetto che possa portarlo dall'altra parte, e il pescatore si offre di ospitarlo per la notte nella sua dimora.

Dopo una breve ricerca, Perceval trova il castello dell'uomo e viene condotto dai servi in una grande sala, dove lo attende uno spettacolo insolito: al centro della stanza luminosa c'è un letto su cui giace un nobile dignitoso e riccamente vestito, accanto al quale arde un grande fuoco in un magnifico focolare. Il nobile dà a Perceval una bella spada che può essere rotta solo in un modo (che non viene menzionato). Mentre i due uomini parlano, un ragazzo avvicina al letto una lancia, dalla cui punta scende una goccia di sangue. Perceval guarda tutto questo con stupore, ma ricorda il consiglio di Gorneman di non parlare troppo e quindi non chiede cosa significhi. Poi arrivano altri due giovani con splendidi candelabri e una bella ragazza riccamente vestita che tiene in mano un Graal dorato e tempestato di pietre preziose; il Graal brilla così intensamente che le candele nella sala sembrano perdere il loro splendore accanto a esso. (Chrétien non introduce qui «il Graal» nella storia, ma «un Graal»: per il pubblico contemporaneo, la parola denotava un tipo particolare di vasellame, cioè una specie di ciotola larga e poco profonda usata come piatto da portata.) Dietro la ragazza con il Graal cammina un'altra giovane che porta un piatto d'argento. L'intera processione passa accanto al letto e poi scompare in una camera laterale. Perceval è molto sorpreso, ma, memore del consiglio del suo mentore Gorneman, rimane in silenzio.

A questo punto nella sala viene imbandita una ricca tavola, e Perceval e il suo ospite sono serviti di selvaggina, che viene tagliata su un piatto d'argento. Nel frattempo il Graal sfila di nuovo davanti a loro ad ogni portata, ma Perceval non chiede a chi viene servito. (Chrétien sottolinea ancora una volta che Perceval non pone questa domanda; il Graal di Chrétien sembra essere soprattutto il pezzo più magnifico della tavola, anche se avvolto nel mistero.) Il sontuoso banchetto va avanti a lungo, finché il padrone di casa finalmente augura la buona notte a Perceval e si fa portare nella sua camera in quanto non è in grado di camminare da solo.

Quando Perceval si sveglia la mattina dopo è solo nella sala. Le uniche porte aperte sono quelle verso l'esterno. Alla ricerca di qualcuno da interrogare riguardo allo strano spettacolo della sera precedente, Perceval esce a cavallo, appena attraversato il ponte levatoio, questo viene subito sollevato alle sue spalle e lui resta chiuso fuori dal castello del Graal. Nella foresta trova presto una ragazza piangente che tiene tra le braccia il cadavere di un cavaliere decapitato. Conversando con lei, Perceval viene a sapere di aver passato la notte nel castello del Re Pescatore. Questo re era stato ferito in battaglia – una lancia gli aveva trafitto entrambe le cosce – e poiché la ferita non era guarita bene, la pesca era l'unico sport che poteva praticare. (Il «Re Pescatore» avrà un ruolo importante come Re del castello del Graal in molti adattamenti del materiale del Graal; l'epiteto sarà talvolta stranamente reinterpretato, si veda cap. II, par. 1, anche se nell'opera di Chrétien sembra riferirsi solo al fatto che al Re Pescatore piace passare il tempo pescando.) Poterglisi sedere accanto sul suo letto era stato un grande onore. Ma quando Perceval confessa di non aver chiesto il significato della lancia sanguinante, del Graal e del piatto d'argento, la ragazza lo rimprovera severamente: se l'avesse fatto avrebbe guarito il re, che così avrebbe riconquistato i suoi possedimenti. La ragazza rivela di essere la cugina di Perceval e gli dice che il suo fallimento è il risultato del suo comportamento scorretto nei confronti della madre, morta di dolore.

Perceval passa quindi a nuove avventure; la spada del Re Pescatore si rompe nella primissima battaglia in cui Perceval la usa. Finalmente riesce a tornare alla corte di re Artù a Carlion. Lì, però, appare presto una donna incredibilmente brutta, una creatura orribile con la pelle nera, i tratti animaleschi e le membra storte, che gli racconta in dettaglio del suo fallimento nel castello del Re Pescatore e di come ora di conseguenza quella terra sia devastata.

Perceval reagisce facendo voto di partire e di non passare due notti nello stesso posto finché non avrà scoperto chi è servito dal Graal e perché la lancia sanguina. Anche gli altri cavalieri del seguito di Artù si disperdono andando all'avventura e affrontando varie sfide.

Da questo punto in poi il romanzo di Chrétien racconta lungamente le avventure di Gauvain. Intreccia questi elementi con il materiale del Graal in quanto a Gauvain, tra molteplici avventure, viene dato il compito di trovare la lancia sanguinante, essendo stato profetizzato che un giorno essa distruggerà l'intero regno di Logres. Nel frattempo Perceval dimentica completamente il culto di Dio per cinque anni, finché un incontro con un gruppo di pellegrini lo riporta alla ragione e lo conduce da un santo eremita. Perceval attribuisce i suoi anni di cattivo comportamento al proprio fallimento nel castello del Re Pescatore. L'eremita, tuttavia, gli spiega che la sua disgrazia è il risultato del peccato commesso nei confronti della madre, la quale è morta per il dolore che lui le ha causato, e questo ha portato prima al suo fallimento di fronte al Graal e alla lancia sanguinante, e poi a tutte le altre disgrazie che a loro volta ne sono derivate. L'eremita spiega a Perceval che colui che viene servito con il Graal è il padre del Re Pescatore. Il nutrimento offerto nel Graal è una sola ostia, ma il Graal è «una cosa così sacra» che il padre del Re Pescatore non ha vissuto di nient'altro che di quest'unica ostia per dodici anni e in tutto questo tempo non ha lasciato la sua camera una sola volta. Dall'eremita Perceval viene ricondotto a uno stile di vita cristiano. Dopo questo episodio la narrazione di Chrétien si rivolge di nuovo alle avventure di Gauvain, il quale rimane al centro della narrazione finché l'opera si interrompe e né Perceval né il Graal vengono più menzionati. Nella maggior parte dei manoscritti il testo di Chrétien passa senza soluzione di continuità nelle cosiddette *Continuazioni*, che saranno presentate in dettaglio in un capitolo successivo (si veda cap. II, par. 2).

Un'opera letteraria come il *Perceval* di Chrétien, e ancor più una scena così complessa e particolare come l'incontro di Perceval con la processione del Graal, è stata collocata sempre in contesti molto diversi. La maggior parte di chi oggi legge il testo assocerà naturalmente il Graal alla coppa dell'Ultima Cena, che Gesù celebrò con i discepoli alla vigilia della sua cattura da parte dei Romani. Nella successiva ricezione del *Perceval* di Chrétien, nel giro di pochi decenni questa interpretazione del Graal presto divenne dominante; tuttavia, non è per niente chiaro se Chrétien stesso intendesse tale associazione. Gli adattamenti della scena del Graal nel *Parzival* di Wolfram von Eschenbach e nel *Peredur* in medio-cimrico (gallese), entrambi scritti all'inizio del XIII secolo e quindi a breve distanza dalla redazione del *Perceval*, mostrano che nel primo periodo del mito del Graal alto-medievale l'equazione tra il Graal e il calice dell'Ultima Cena non era affatto evidente (torneremo su entrambi i testi più avanti). Nemmeno il racconto di Chrétien suggerisce una tale equiparazione. Il Graal non è presentato come «*il* Graal», ma come «*un* Graal»; non era quindi un oggetto specifico, ma solo un esemplare particolare di un certo tipo di recipiente. Come già menzionato nel riassunto del *Perceval*, il termine «graal» – derivato dal tardo latino *gradalis* – designava probabilmente una sorta di piatto o ciotola da portata. Chrétien sembra quindi aver avuto in mente un contenitore per il cibo solido e non uno per le bevande. Questa idea corrisponde a quanto l'eremita spiega a Perceval più tardi, cioè che il Graal contiene un'ostia per il padre del Re Pescatore – vale a dire il corpo di Cristo e non, come la coppa della comunione, il sangue di Cristo. Preso da solo, il testo di Chrétien suggerisce che il Graal non dovrebbe essere immaginato come un calice, ma piuttosto come una sorta di patena speciale. Il Graal di Chrétien ha quindi già un potere simbolico religioso cristiano, ma probabilmente non si tratta ancora del simbolismo specifico a cui sarà associato nei decenni successivi.

Un simile significato simbolico è associato al sanguinamento della lancia del corteo del Graal, di cui Gauvain parte alla ricerca. Il *Perceval* fu scritto da Chrétien nel pieno periodo delle crociate. Il patrono che gli commissionò l'opera, il conte Filippo di Fiandra, partecipò personalmente alla terza crociata e morì il 1° luglio 1191 durante l'assedio di San Giovanni d'Acri in Palestina. In questo contesto temporale la lancia sanguinante deve aver inevitabilmente evocato la Santa Lancia «trovata» ad Antiochia durante la prima crociata del 1098. In quell'anno, solo pochi giorni dopo la conquista della città, l'esercito crociato era stato a sua volta intrappolato ad Antiochia da truppe di rinforzo dell'esercito musulmano; il «ritrovamento» fu davvero opportuno in quel momento, poiché i crociati erano affamati e indeboliti dalle epidemie, e la presenza della lancia, a fronte della superiorità numerica dei musulmani, poteva sollevare il morale delle truppe cristiane. In effetti, il ritrovamento della lancia portò al successo militare, poiché i crociati riuscirono contro ogni previsione a sconfiggere l'esercito di soccorso musulmano.

La Santa Lancia veniva assimilata all'arma con cui, secondo il Vangelo apocrifo di Nicodemo, il centurione romano Longino trafisse il fianco di Gesù crocifisso. Questo Vangelo racconta che Longino era cieco, ma quando trafisse Gesù con la sua lancia il sangue del Salvatore scorse sulle sue mani, restituendogli la vista. Al momento del ritrovamento della Santa Lancia di Antiochia, un'altra Santa Lancia esisteva già nella collezione di reliquie di Santa Sofia a Bisanzio, quindi il ritrovamento di Antiochia non fu riconosciuto da tutti come autentico; ciò nonostante l'episodio contribuì molto ad aumentare la popolarità del motivo della lancia di Longino. Per quanto riguarda il *Perceval* di Chrétien, colpisce il fatto che in questo primo romanzo del Graal nessuno cerchi specificamente questo oggetto: Gauvain si mette alla ricerca della lancia sanguinante e il fallimento di Perceval consiste nel non aver chiesto il significato della triade di lancia, Graal e piatto d'argento. Dopo essersi reso conto di ciò che ha causato con il suo silenzio, Perceval non parte per trovare il Graal, ma per risolvere l'enigma del Graal e della lancia. Se il titolo di *Perceval ou le Conte du Graal* non si riferisse esplicitamente al Graal, si avrebbe l'impressione che per il romanzo la lancia sia tutto sommato più importante del Graal.

3. Il Graal come mito celtico?

Se è vero che il Graal e la lancia del Graal in Chrétien possono essere letti in termini cristiani come patena e come la lancia di Longino, è stato anche più volte ipotizzato che il Graal in particolare affondi le sue radici nei miti celtici. Tra gli studiosi questa questione è stata oggetto di controversie per oltre un secolo, senza che ad oggi sia stato raggiunto un consenso. Il materiale è suggestivo e sembra suggerire connessioni con la mitologia celtica sotto vari riguardi; ma è frammentario in ogni aspetto e dunque non fornisce prove veramente conclusive e nemmeno indizi tra loro coerenti. Questo paragrafo tratta abbastanza dettagliatamente la questione delle radici celtiche del Graal, tuttavia non allo scopo di prendere posizione in una direzione invece che in un'altra, ma solo per rendere comprensibile il motivo per cui la questione delle radici mitiche viene di quando in quando sollevata, senza che si possa mai veramente giungere a un punto conclusivo. Inoltre, la questione è di centrale importanza per una parte rilevante della ricezione moderna del Graal, che sarà il focus del quarto capitolo, poiché in un filone della sua rivisitazione moderna il Graal è interpretato principalmente come un simbolo religioso precristiano.

Per capire se il Graal sia radicato in una mitologia celtica, bisogna allora innanzitutto precisare cosa si intende effettivamente con i termini «Celti» e «mito», perché né l'uno né l'altro sono così chiari come si potrebbe credere. Il termine «Celti» proviene originariamente dall'antica etnografia greca e romana (greco *Keltòi*, latino *Celtae*). Negli scrittori antichi era usato in modo relativamente indifferenziato per indicare principalmente i popoli dell'Europa occidentale e centrale a nord delle Alpi; allo stesso tempo, si riferiva ad alcuni popoli che migrarono nell'Italia settentrionale, nei Balcani e persino in Asia Minore nel corso dell'antichità, così come a una parte degli abitanti della penisola iberica. Oggi l'Irlanda è percepita come la nazione celtica per eccellenza; tuttavia, nell'antichità, quando fu coniato il termine «Celti», l'Irlanda in particolare non fu mai inserita in questa categoria. L'Irlanda è stata descritta come «celtica» solo a partire dal XVIII secolo in conseguenza di un cambiamento fondamentale nella concezione dei Celti, soprattutto in quelle discipline accademiche che si occupano di testi e di testimonianze linguistiche in generale: nel corso dello sviluppo della linguistica storica moderna, dal Settecento è prevalsa la definizione di «celtico» come «chi parla una lingua celtica». Ciò si basa sul fatto che lingue antiche e moderne come il celtico nella penisola iberica, il gallico nella Francia preromana e il cimrico (gallese), il cornico e il gaelico in Irlanda e Scozia sono strettamente correlate e formano il gruppo celtico delle lingue indoeuropee. L'Irlanda è quindi «celtica» non perché coloro che originariamente coniarono il termine «Celti» la consideravano tale, ma perché vi si parlava una lingua celtica. Questo è importante per la storia del Graal perché gli argomenti essenziali a sostegno delle radici «celtiche» del mito del Graal sono tratti dalla letteratura medievale irlandese. Tuttavia, poiché i «Celti» sono principalmente un *gruppo linguistico* – e non un gruppo culturale –, questo significa che qualsiasi radice «celtica» del Graal che possa essere derivata da testimonianze irlandesi non implica che il mito del Graal risalga all'antichità o all'età del ferro o che abbia avuto equivalenti nei Celti del continente europeo, perché i «Celti» non formavano una cultura chiusa e omogenea, bensì si trattava di gruppi di persone le cui lingue erano strettamente correlate. Al di là dei punti in comune di carattere linguistico, esistevano enormi differenze tra i singoli gruppi celtici. Tuttavia, il gaelico, il cimrico (gallese) e il bretone (portato in Bretagna dalla Gran Bretagna dagli immigrati del primo Medioevo) sono molto simili; insieme ad alcune lingue minori e ormai estinte formano il cosiddetto gruppo di lingue celtiche insulari. Sul piano linguistico rappresentano rami strettamente correlati dell'albero genealogico celtico, e qui in effetti ci possono essere stati forti legami culturali. Per quanto riguarda tipicamente le corrispondenze culturali tra Irlanda e Galles, spesso non si può dire se siano l'eredità di una preistoria celtica insulare comune o il risultato dei contatti sempre stretti tra questi popoli. Così, se la letteratura gallese e irlandese può contenere richiami alle radici «celtiche» del Graal, questo non significa altro che il mito del Graal usa motivi che dovevano essere già presenti nelle culture narrative dell'Irlanda e della Gran Bretagna da qualche tempo. In nessun modo, però, ciò significa che le radici del mito del Graal debbano risalire alla preistoria. Anche un Graal «celtico» potrebbe aver avuto origine in Irlanda o in Galles nell'Alto Medioevo.

Di conseguenza, anche il concetto di mito nell'ambito del gruppo insulare celtico è potenzialmente fuorviante. Alla parola «mito» si associa immediatamente la mitologia precristiana. In effetti, le letterature medievali dell'Irlanda e (in misura molto minore) del Galles contengono molti personaggi che possono essere appartenuti a un mondo di credenze precristiane. Tuttavia, nessuna di queste storie nella loro forma attuale proviene effettivamente dall'epoca precristiana, poiché, al contrario, tutta la letteratura superstite delle isole britanniche è stata creata molto tempo dopo la conversione al cristianesimo. Ciò vale anche per l'Irlanda, che è spesso citata come testimone principale di una mitologia «celtica»: l'Irlanda divenne cristiana già nel V secolo, ma i racconti con contenuti che potrebbero sembrare precristiani non furono scritti fino al VII o VIII secolo, molto tempo dopo la conversione dell'isola. Inoltre, i più antichi di questi testi sono stati tutti compilati negli *scriptoria* dei monasteri irlandesi, considerando che l'intera letteratura irlandese delle origini è letteratura monastica. In un tale contesto, «mito» nel senso di «storie degli dèi precristiani» può al massimo significare che si tratta della libera trattazione di un tema con radici potenzialmente precristiane, rifratta attraverso un prisma cristiano. La natura della letteratura cristiana irlandese rende, in definitiva, impossibile ricostruire con certezza una mitologia veramente precristiana. Lo stesso vale di conseguenza per la questione delle possibili radici «mitiche» del Graal. Questa ipotesi non è illegittima, ma bisogna essere consapevoli che tutte le ricostruzioni di tali radici si basano su testi monastici che sono stati composti molto tempo dopo la fine di una religione pagana viva.

La stessa letteratura arturiana colloca il Graal in un contesto insulare celtico e la figura di re Artù non è priva di nazionalità, anzi Artù è un leggendario re della Gran Bretagna, e Perceval, l'eroe del primo, e centrale, romanzo del Graal, è esplicitamente gallese. A questo proposito sarebbe ovvio cercare in prima istanza le radici celtiche del Graal nel Galles. Il problema, tuttavia, è che relativamente poca letteratura antica è sopravvissuta in quest'area. Il Galles aveva certamente una ricchissima tradizione di racconti, ma questi erano trasmessi soprattutto oralmente. Le registrazioni scritte, che avrebbero conservato i racconti medievali dei Gallesi per i posteri, arrivarono solo molto più tardi e in ogni caso in misura assai minore che, ad esempio, in Irlanda. Ciò nonostante anche dal Galles proviene un piccolo gruppo di documenti rilevanti.

Di questi, *Peredur* è il più chiaramente collegato alla saga del Graal. Si tratta di uno degli undici racconti pubblicati con il nome di *Mabinogion*. In particolare *Peredur* è un adattamento medio-cimrico del *Perceval* di Chrétien; in questo senso non è né indipendente dal primo romanzo del Graal francese antico né più antico di esso; ma non si tratta nemmeno di una semplice traduzione: l'autore del *Peredur* rielaborò in modo molto libero il suo originale, cambiò varie cose e apportò aggiunte come meglio credeva. Tutto sommato, la storia del Graal in questo adattamento passa in secondo piano rispetto alla versione di Chrétien, ma anche nel *Peredur* l'eroe eponimo del racconto assiste alla processione del Graal, che nella versione gallese consiste nella lancia sanguinante (da cui non scorrono solo singole gocce di sangue come in Chrétien, ma veri e propri flussi ematici) e in un grande vassoio portato da due ragazze. È importante notare che su questo vassoio non c'è un'ostia, ma una testa mozzata in una pozza di sangue. A quanto pare, almeno nel Galles, che Chrétien rappresenta come la patria della materia del Graal, non era affatto chiaro a tutti che il Graal fosse un simbolo cristiano associato alla morte di Gesù Cristo.

Molto più antico, probabilmente risalente al 1100 circa, è *Culhwch ac Olwen* (*Culhwch e Olwen*), anch'esso un racconto del *Mabinogion*. Questa storia narra di come l'eroe Culhwch aspiri alla mano di Olwen. Come condizione per il matrimonio, Culhwch riceve dal padre della ragazza quaranta incarichi da portare a termine. Queste incombenze, molte delle quali hanno una componente ultraterrena e soprannaturale, superano le forze di Culhwch, il quale si rivolge quindi a re Artù che gli concede aiuto e insieme ai suoi guerrieri riesce a compiere tutte le azioni necessarie affinché Culhwch possa condurre a casa la sua sposa. Il Graal in quanto tale non è menzionato. Tra i compiti assegnati a Culhwch, tuttavia, c'è quello di procurare un certo numero di recipienti per il cibo e le bevande: il prezioso recipiente per bere di Llwyr; il cesto di Gwyddnau Garan Hir, che potrebbe rifornire all'istante il mondo intero di qualsiasi cibo chiunque desideri mangiare e dal quale il padre di Olwen intende attingere per la cena delle nozze; il corno di Gwlgawd Gododdin, che deve rifornire di bevande gli invitati alla festa; il calderone di Diwrnach l'irlandese, nel quale deve essere cotta la carne per il banchetto nuziale. Nel racconto vi è una descrizione dettagliata del furto del calderone di Diwrnach, per il quale Artù si sposta in Irlanda con alcuni uomini sulla sua nave *Prydwen*. I motivi più interessanti, tuttavia, sono il cesto di Gwyddnau Garan Hir e il corno di Gwlgawd Gododdin, perché questi due recipienti sembrano avere la proprietà soprannaturale di poter rifornire una festa con una quantità illimitata di cibo e bevande, come cornucopie. Questo ricorda il fatto che anche il Graal di Chrétien è descritto come un recipiente che serve a fornire cibo a un re: la domanda che il Perceval di Chrétien avrebbe dovuto fare nel castello del Re Pescatore sarebbe stata: «Chi viene servito dal Graal?», mentre l'eremita più tardi spiega a Perceval che il padre del Re Pescatore non si è nutrito che dell'ostia consegnatagli dal Graal per dodici anni. Anche il Graal è una cornucopia la cui principale proprietà è quella di produrre magicamente cibo inesauribile; per la società del Medioevo, caratterizzata da cronici periodi di scarsità, sempre minacciata dalla fame, questa stessa caratteristica può aver contribuito significativamente al potere di fascinazione del Graal (mentre per la sua ricezione moderna nella società del benessere attuale e del passato più recente, di cui si parlerà nella seconda metà di questo libro, non ricopre praticamente alcun ruolo). In ogni caso, sia nel *Culhwch ac Olwen* sia nella successiva letteratura del Graal, Artù e i suoi guerrieri si imbarcano in una ricerca di fonti ultraterrene o sacre cristiane di inesauribile nutrimento soprannaturale. La principale differenza tra la ricerca condotta dai cavalieri arturiani nella saga francese del Graal e la ricerca condotta da Artù e dai suoi uomini in Galles è che il cibo che il vaso fornisce è cristianizzato in un'ostia nella versione francese antica e allo stesso tempo il successo della ricerca sembra dipendere meno dalle abilità marziali che dall'assenza di peccato cristiano. È vero che nessuno dei recipienti dei quali Artù e i suoi guerrieri partono alla ricerca nel *Culhwch ac Olwen* è chiamato «Graal», ma questa non è di per sé una differenza significativa tra il romanzo in versi francese antico di Chrétien e la versione gallese; perché nell'opera di Chrétien «Graal» non è ancora un nome proprio, ma solo un termine generale per un tipo di stoviglia: Chrétien – come già detto – non parla ancora «del Graal», ma di «un Graal» nel senso di un piatto da portata o di una ciotola poco profonda.

In una direzione analoga ci porta *Preiddeu Annwn* (*Il bottino dell'Aldilà*), un poema cimrico la cui datazione è controversa ed è variamente collocata tra la metà del IX e la metà del XII secolo. Questo poema tratta di un'incursione che re Artù e i suoi guerrieri intraprendono sulla nave di Artù stesso, *Prydwen*, verso l'Aldilà per impadronirsi di un calderone magico; solo sette uomini tornano a casa da questo oneroso viaggio. Il calderone in questione ha un bordo blu (smaltato?) tempestato di perle, è riscaldato dal respiro di nove ragazze e non cucina cibo per colui che si dimostra vigliacco. Questa spedizione presenta notevoli somiglianze con la rappresentazione del furto del calderone di Diwrnach in *Culhwch ac Olwen*: in entrambi i casi Artù e i suoi uomini partono sulla *Prydwen* per impossessarsi di uno straordinario recipiente da cucina. Nel caso del furto del calderone di *Preiddeu Annwn*, si tratta esplicitamente di un «bottino dell'Aldilà». In *Culhwch ac Olwen* il calderone di Diwrnach non è chiaramente descritto come ultraterreno, ma il fatto che sia menzionato accanto al cesto che dispensa cibo di Gwyddnau Garan Hir e al corno (dell'abbondanza) di Gwlgawd Gododdin, insieme alle analogie con *Preiddeu Annwn*, suggerisce che anche questo calderone sia magico. Corrisponde anche il fatto che Diwr-

31

nach l'irlandese sia descritto come un gigante in un altro testo gallese. In riferimento alla questione delle possibili radici insulari della leggenda del Graal, la cosa è importante perché sottolinea ancora una volta che la corte di re Artù era già collegata nella tradizione narrativa vernacolare gallese con il motivo della ricerca di un vaso ultraterreno che dona cibo. Il calderone colorato e tempestato di perle di *Preiddeu Annwn* ricorda anche nel suo prezioso splendore il Graal d'oro tempestato di gemme di Chrétien, mentre il particolare che sia riscaldato dal respiro di nove ragazze trova corrispondenza nel fatto che il Graal di Chrétien è portato da una bella giovane. Quest'ultimo aspetto colpisce proprio perché Chrétien descrive il suo Graal come una patena e quindi come uno strumento della liturgia: in un'epoca in cui dire la santa messa era un privilegio puramente maschile, una spiegazione è d'obbligo. Forse il motivo di questo tratto peculiare si spiega ipotizzando che Chrétien conservi qui un dettaglio del suo originale, che a sua volta va visto in relazione ai recipienti ultraterreni del filone narrativo gallese?

Il calderone di cui Artù si impadronisce in *Culhwch ac Olwen* è esplicitamente proprietà di un irlandese e viene trafugato in Irlanda da Artù e dai suoi uomini. Il motivo di un cibo inesauribile ultraterreno appare anche nella letteratura medievale di quest'altra isola. Una delle più antiche testimonianze pertinenti è il racconto irlandese antico *De Gabáil in t-Sída* (*La presa del tumulo fatato*), un testo scritto al più tardi nel IX secolo e quindi, in linea di principio, in tempo perché le idee ivi rappresentate potessero essere recepite nella letteratura arturiana. In Irlanda l'Aldilà, o piuttosto una molteplicità di mondi ultraterreni, veniva localizzato in luoghi molto diversi del paesaggio: a volte oltre il mare, ma principalmente sotto la superficie delle acque dolci e all'interno delle colline. I «tumuli fatati» o «elfici» potevano essere tumuli naturali, ma erano soprattutto i tumuli funerari preistorici che venivano considerati come siti ultraterreni. La storia della presa del tumulo fatato racconta come il principe dell'Aldilà Mac Óc induce con l'inganno il Dagda, che probabilmente si identifica con una divinità della mitologia irlandese precristiana, a cedere il suo «tumulo fatato». Così facendo il Dagda perde anche le meraviglie contenute nel tumulo: tre alberi che danno sempre frutti; un maiale eternamente vivo e un maiale arrosto; un barattolo contenente una pozione unica (anche se non ne viene rivelata esattamente la natura). L'importante è che tutte queste fonti di cibo soprannaturale hanno la caratteristica di non esaurirsi mai.

In *De Gabáil in t-Šída* il motivo dell'abbondanza di cibo ultraterreno appare, da un lato, nella forma di una bevanda contenuta in un recipiente e, dall'altro, sotto forma di cibo «solido»: frutti d'albero e maiali. Proprio maiali di questo tipo sono menzionati in diversi testi della letteratura irlandese medievale in cui ricorre quasi come un luogo comune che la corte di un principe ultraterreno abbia un maiale che può essere macellato, cucinato e mangiato, ma che è di nuovo pronto il giorno dopo per essere macellato, cucinato e mangiato, in un ciclo inesauribile. Questo motivo in Irlanda è ancora associato a un calderone nel racconto *Echtra Cormaic maic Airt* (*L'avventura ultraterrena di Cormac figlio di Art*). Una versione del XII secolo di questa storia racconta che la moglie e i figli di Cormac mac Airt, il re d'Irlanda, vengono rapiti nell'Aldilà. Per riportarli indietro, Cormac stesso entra nell'Aldilà attraversando la nebbia. Lì si imbatte in una grande fortezza con un muro di bronzo, in cui c'è un magnifico palazzo – le cui travi sono di bronzo, le pareti sono di maglia d'argento, e il tetto è coperto da ali di uccelli bianchi. In questo palazzo viene accolto e ritemprato da una bella coppia. Nel pomeriggio un uomo arriva a palazzo con uno dei maiali dell'Aldilà, che può essere cucinato ogni giorno ed essere ancora intero il giorno dopo. L'animale viene cotto in un calderone, ma si deve raccontare una storia vera per ogni quarto del maiale affinché si cucini. Durante il pasto Cormac riceve una coppa d'oro di fattura meravigliosa, che ha la proprietà di rompersi quando si dicono tre bugie sopra di essa, ma torna a essere intera quando si dicono tre verità. Inoltre, a Cormac viene restituita la sua famiglia. Quando si sveglia la mattina dopo si ritrova sul prato davanti alla sua residenza reale in Irlanda; la sua famiglia e la coppa sono con lui, ma il palazzo ultraterreno è scomparso.

La coppa serve per distinguere tra verità e menzogna, uno strumento soprannaturale per mettere alla prova la sincerità, così come il Graal serve per mettere alla prova Perceval nell'opera di Chrétien.

Questi testi dall'Irlanda e dal Galles illustrano come entrambe le letterature celtiche insulari avessero familiarità con motivi che presentano corrispondenze sorprendenti con il Graal di Chrétien. Entrambe le letterature raccontano di meravigliosi vasi magici, specialmente calderoni, che possono generare quantità illimitate di cibo; e in entrambe le letterature i re e i loro guerrieri possono entrare nell'Aldilà, vedere questi e altri recipienti meravigliosi ed essere nutriti da essi o addirittura portarli nel mondo degli uomini. Anche il motivo della scomparsa del castello ultraterreno può essere rilevante nel confronto. Quando Perceval si sveglia nel castello del Re Pescatore la mattina dopo il suo incontro con il Graal, non vi trova più nessuno, cavalca fuori dal castello – e quando poco dopo gli viene chiarito il suo errore, non riesce a ritrovarlo, anche se non può essersi allontanato di molto. Questa sparizione del castello la mattina dopo la visione del Graal da parte di Perceval ricorda così tanto la sparizione del castello nell'*Avventura ultraterrena di Cormac figlio di Art* che sorge il dubbio che tale corrispondenza non sia davvero solo una coincidenza. A maggior ragione considerando che nella letteratura irlandese è motivo ricorrente che l'eroe di una storia, dopo aver passato la notte in una dimora ultraterrena, si svegli la mattina dopo non lontano da casa in campo aperto. Come i calderoni in cui lo stesso maiale poteva essere bollito di nuovo ogni giorno, questa era una caratteristica comune delle residenze ultraterrene. Entrambi i motivi erano così familiari e avevano un tale fascino per i contemporanei non irlandesi che furono persino presi in prestito nella mitologia norrena: anche l'*Edda* del poeta islandese Snorri Sturluson, dell'inizio del XIII secolo, contiene un mito arricchito da vari elementi irlandesi, in cui il dio norreno Thor passa la notte in un castello ultraterreno che scompare appena lo lascia la mattina dopo – proprio come il castello del Graal. Inoltre, Snorri racconta di un calderone nel Walhalla, il paradiso dei guerrieri della mitologia scandinava, dove lo stesso maiale può essere cucinato più e più volte. I motivi delle rappresentazioni dell'Aldilà irlandese erano sorprendentemente conosciuti nel mondo del Medioevo europeo nord-occidentale e la letteratura arturiana sembra non essere l'unica dell'epoca ad aver attinto da questo patrimonio.

Inoltre, la letteratura irlandese offre parallelismi non solo per il Graal, ma forse anche per la lancia del Graal. Nel *Perceval* di Chrétien essa appare per la prima volta nella processione al castello del Re Pescatore, dove viene portata prima del Graal. Più tardi essa (e non il Graal) diventa l'obiettivo della ricerca di Gauvain. Quando questi viene inviato per trovarla, si dice della lancia del Graal che, secondo una profezia, un giorno distruggerà l'intero regno di Logres.

«Logres» è l'Inghilterra, la terra di re Artù; il nome, che appare ripetutamente nella letteratura arturiana, risale probabilmente a *Lloegr*, il nome cimbro dell'Inghilterra. Nella letteratura irlandese una lancia altrettanto potente e distruttiva appare nel racconto *Togail Bruidne Da Derga* (*La distruzione della sala di Da Derga*), scritto nell'XI secolo, che incorpora alcuni passaggi di un testo del IX secolo. Si tratta dell'ascesa e della caduta del re supremo irlandese Conaire il Grande. Il culmine della narrazione consiste in una lunga descrizione di un'incursione notturna di un gruppo di saccheggiatori nella sala di Da Derga. Nella battaglia per la sala che segue, il re, che è ospite lì proprio quella notte, viene ucciso. Prima di lanciare l'attacco, i saccheggiatori inviano un esploratore per osservare da vicino i guerrieri riuniti nella sala. In una delle camere, proprio accanto a quella del re, l'esploratore vede un guerriero ingrigito, ma ancora forte, chiamato «Dubthach», che significa «scarabeo degli uomini dell'Ulster». Nella sua mano tiene una lunga lancia con cinquanta borchie, la cui asta è così possente che sarebbe un carico pesante anche per una pariglia di cavalli da aratro. La brandisce con fare terrificante, e la immerge regolarmente in un calderone che si trova di fronte a lui, pieno di un orribile liquido scuro.

Ogni volta che tarda a immergerla, la punta comincia a bruciare come se vi fosse all'interno un drago sputafuoco. Quando l'esploratore riferisce all'accampamento ciò che ha visto, uno dei suoi compagni dice di sapere che il calderone è pieno di veleno e che solo l'immersione in quel liquido prima di un combattimento impedirà alla lancia di infiammarsi e di trafiggere il suo portatore o il signore della sala del re. Quando la lancia viene usata come arma, uccide un uomo ad ogni colpo, anche se non lo tocca, e ogni affondo uccide nove uomini, uno dei quali è un re o un nobile. Come la lancia del Graal, quindi, la lancia del difensore del re è un'arma con un immenso potere distruttivo, ma che non è sempre diretta soltanto contro i nemici del paese. Se una storia come quella di Dubthach e della sua lancia è transitata nella leggenda del Graal, ci si potrebbe anche chiedere se, a qualche livello, il legame tra la lancia e il calderone non trovi un riflesso nella combinazione di lancia e ciotola del Graal.

La lancia soprannaturale in *La distruzione della sala di Da Derga* è interessante anche perché vi è un'altra scena particolare del *Perceval* di Chrétien che potrebbe evocare questo stesso testo irlandese. Tre giorni dopo il ritorno di Perceval alla corte di re Artù a Carlion in seguito al suo fallimento nel castello del Re Pescatore, arriva a cavallo una ragazza di una bruttezza spaventosa: ha la gobba, mani e collo neri come la pece, i suoi occhi non sono più che due cavità e piccoli come quelli di un topo, ha un naso e labbra animali, denti gialli, la barba, arti storti e un petto deforme. Chrétien si riferisce esplicitamente al libro datogli da Filippo di Fiandra – e sottolinea che secondo quella fonte nemmeno all'inferno si potrebbe trovare una creatura tanto brutta. Questa figura femminile cavalca fino a raggiungere i cavalieri di Artù riuniti, rimprovera Perceval per il suo fallimento nel castello del Graal e la conseguente desolazione in cui versa il paese, e dice agli altri uomini dei luoghi e delle opportunità in cui potrebbero dare prova di sé con grandi gesta di cavalleria, dopodiché se ne va sul suo cavallo.

Le conseguenze di questa comparsa per la corte sono devastanti: Perceval, Gauvain e decine di altri cavalieri saltano immediatamente in piedi e giurano di partire, sia per rimediare ai loro precedenti fallimenti che per intraprendere meravigliose avventure; e così la schiera dei cavalieri di re Artù si disperde ai quattro venti.

In *Togail Bruidne Da Derga* questa scena trova una corrispondenza nell'apparizione di una figura femminile anche in questo caso deforme. Conaire il Grande è soggetto a una serie di divieti che, se infranti, porteranno alla sua caduta. In una catena di sfortunati eventi, egli ha già violato la maggior parte di tali divieti quando, alla vigilia della sua morte, una singolare figura femminile appare alla porta della sala dei banchetti di Da Derga – sebbene a Conaire sia vietato ammettere qualsivoglia persona nella sua sala dopo il tramonto. Questa figura ha stinchi lunghi come travi da telaio e neri come uno scarafaggio, i peli pubici le arrivano alle ginocchia, e le labbra non sono dove dovrebbero essere ma sul lato della testa. I guerrieri riuniti nella sala capiscono che è una veggente, e ciò che lei profetizza è la morte del re. Essa rivolge poi contro Conaire il suo stesso senso dell'onore, costringendolo a violare un altro dei divieti, la cui trasgressione porterà alla sua fine quella stessa notte. L'apparizione lascia i guerrieri inorriditi, in quanto preannuncia l'attacco che segue e nel quale il re muore. Qui, come nel *Perceval* di Chrétien, l'apparizione di una messaggera di sventura deforme e di una bruttezza incredibile serve quindi ad annunciare e a provocare la distruzione della comunità dei guerrieri del re. Il parallelismo è particolarmente interessante perché, secondo Chrétien, il passaggio corrispondente nel *Perceval* è basato sulla sua fonte e sembra quindi rappresentare una parte molto antica della storia del Graal.

In sintesi, si può quindi dire che la storia del Graal, come Chrétien lo descrive nel primo romanzo del Graal che è giunto fino a noi, trova analogie impressionanti nella letteratura gallese e irlandese: entrambe queste letterature conoscono il motivo di un eroe umano o di un re che accede all'Aldilà e si impadronisce di un recipiente che fornisce cibo illimitato come una cornucopia o viene servito dallo stesso. La scomparsa del castello la mattina dopo la visione del Graal da parte di Perceval trova una controparte in Irlanda, in quanto il visitatore che passa la notte nella sala del Re ultraterreno si sveglia la mattina seguente in campo aperto mentre la sala è scomparsa. Sia il potenziale distruttivo della lancia del Graal sia la donna deforme che preannuncia il disastro e allo stesso tempo contribuisce alla fine della comunità di guerrieri e cavalieri alla corte del re trovano una corrispondenza nella lancia di Dubthach e nell'orribile messaggera nella *Distruzione della sala di Da Derga*. Ci sono quindi parallelismi con tutti i singoli elementi essenziali della rappresentazione del Graal nel *Perceval*.

La scena del Graal nel suo complesso tuttavia non ha corrispondenze nelle letterature celtiche insulari ed è in ogni caso discrezionale attribuire importanza a tali analogie e considerarle come realmente significative. Per esempio, la lancia di Dubthach assomiglia davvero alla lancia del Graal abbastanza da permetterci di vedere una connessione tra le due? Questo margine di giudizio, che esiste sempre nella valutazione di parallelismi come quelli qui brevemente delineati, fa sì che ancora oggi non ci sia consenso tra gli studiosi nel considerare se e in che misura e in che senso la leggenda del Graal abbia radici nelle antiche tradizioni narrative celtiche insulari. I parallelismi come quelli menzionati qui sono abbastanza vicini da suggerire che le tradizioni celtiche insulari abbiano costituito il modello per il Graal? Se è così, come sono collegate esattamente le varianti tematiche irlandesi e gallesi? Gli elementi che più tardi saranno plasmati nella leggenda del Graal sono stati presi in prestito dall'Irlanda (forse molto tardi) nel Galles per passare poi nel materiale arturiano? O le varianti irlandesi e gallesi risalgono a un substrato celtico insulare molto più antico e comune che rimanda ai tempi precristiani?

I più antichi antecedenti della leggenda del Graal erano racconti con un reale significato religioso, cioè «miti»? O queste storie precedenti erano già la libera invenzione degli autori cristiani del primo Medioevo? Non c'è consenso su tali questioni e il materiale, che risale a molto tempo dopo la conversione dell'Irlanda e del Galles al cristianesimo, in definitiva non ci permette di determinare con certezza se c'è un qualche mito precristiano dietro il Graal del Medioevo cristiano. Il Graal di Chrétien ha caratteristiche che fanno dubitare di una derivazione dall'immaginario cristiano. Il potere distruttivo della lancia del Graal, che minaccia l'intero regno di Logres, sarebbe tanto inappropriato per la sacra lancia di

Longino quanto sono fuori luogo le portatrici del Graal come elemento liturgico della messa cattolica, se si interpreta il Graal come una patena rielaborata in una esagerazione letteraria. Queste tensioni, almeno apparenti, possono essere un'indicazione che il Graal proviene da un immaginario più antico, non principalmente cristiano; tuttavia, pur essendo suggestive, non si tratta di incongruenze definitive. L'unica cosa veramente certa è che dopo Chrétien il Graal divenne ben presto un simbolo cristiano per eccellenza per molti autori. Il prossimo capitolo è dedicato a questo sviluppo.

CAPITOLO SECONDO

IL GRAAL COME SIMBOLO CRISTIANO E COME OBIETTIVO DELLA RICERCA CAVALLERESCA: DA ROBERT DE BORON AI GRANDI CICLI DEL GRAAL

1. *Dal mondo del mito alla Glastonbury cristiana: Robert de Boron*

L'origine del Graal scompare nelle nebbie della mitologia precristiana delle isole britanniche, e come Chrétien abbia esattamente concepito il Graal rimane poco chiaro, dato che non ha mai completato il suo *Perceval*. Al più tardi sul finire del XII secolo, tuttavia, il poeta Robert de Boron fece del Graal un simbolo completamente cristiano, in particolare attraverso il suo *Joseph d'Arimathie* (*Giuseppe d'Arimatea*), un romanzo in versi in francese antico, che però dispiegò il suo effetto soprattutto attraverso una rielaborazione in prosa, un poco più tardiva. Con questo romanzo Robert de Boron scrisse virtualmente un nuovo vangelo apocrifo, utilizzando principalmente materiale della Bibbia e del Vangelo di Nicodemo. È invece meno ovvio stabilire da dove fu tratta l'idea della raccolta del sangue di Cristo nel calice dell'Ultima Cena. Questa novità introdotta da Robert – che avrà un ruolo chiave nel fissare l'immaginario del Graal nei secoli successivi – non trova riscontro, infatti, né in Nicodemo né in altri testi apocrifi.

Va intanto rilevato che in epoca carolingia esiste una tradizione iconografica della Crocifissione in cui appaiono personaggi maschili o femminili (di identificazione non sempre accertabile) che raccolgono in un recipiente il sangue sgorgante dal costato di Gesù: tra i molti, si può segnalare l'esempio del Salterio di Utrecht (820 circa). Si aggiunga che in un testo esegetico della stessa epoca, trasmesso sotto il nome del patriarca Germano di Costantinopoli, viene stabilita una corrispondenza esplicita tra il calice usato nella liturgia eucaristica

41

e «il recipiente (*vas*) che ricevette il sangue sgorgato dall'immacolato fianco trafitto».

Infine, benché l'associazione tra il calice e la raccolta del sangue non trovi conferma nella tradizione evangelica canonica o apocrifa, sembra però abbastanza naturale che a posteriori si siano generate delle narrazioni – visive e testuali – volte a spiegare l'origine delle molte fiale contenenti il Prezioso Sangue, che erano venerate come reliquie in tutta la cristianità. Se il sangue è stato trasferito nelle fiale, insomma, qualcuno deve averlo raccolto in un recipiente durante la Passione.

L'innovazione fondamentale di Robert, con la quale plasmò quasi tutta la storia successiva del materiale del Graal, fu l'associazione della leggenda del Graal con la storia della Passione. Il *Giuseppe d'Arimatea* stabilisce questo legame attraverso una trama che si svolge principalmente in Palestina intorno alla Crocifissione, ma poi riesce a creare un collegamento con le isole inglesi.

Giuseppe d'Arimatea, l'eroe del romanzo di Robert, è un soldato al servizio di Ponzio Pilato; in cuor suo è un seguace di Cristo, ma non ha il coraggio di mostrare apertamente la sua fede. Dopo la Crocifissione, però, si rivolge al suo superiore Pilato e, come ricompensa per i suoi molti anni di fedele servizio, gli chiede il corpo di Gesù crocifisso, che Pilato gli concede, e con l'occasione gli dà anche il recipiente che Gesù aveva usato durante l'Ultima Cena: un ebreo aveva preso il calice dopo la cattura di Gesù e l'aveva dato a Pilato, che non vuole tenerlo perché considera sbagliata l'uccisione di Cristo. Giuseppe, con l'aiuto di Nicodemo, toglie il corpo di Cristo dalla croce, lo lava e usa il calice dell'Ultima Cena per raccogliere il sangue che ancora cola dalle sue ferite. Seguono la sepoltura e la Resurrezione di Gesù. Dato che dopo la Resurrezione il corpo di Gesù «scompare», i Giudei accusano Giuseppe d'Arimatea di averlo rubato, e in un'operazione improvvisa e segreta catturano Giuseppe e lo gettano in una prigione, che sigillano con una grande pietra. Lì, però, Gesù gli appare e gli affida il calice dell'Ultima Cena, spiegandogli che solo lui e coloro che Giuseppe stesso nominerà per questo compito ne saranno i custodi: non potranno essere più di tre uomini alla volta, che dovranno custodirlo nel nome della Santa Trinità. (La confessione di fede nella Trinità di Padre, Figlio e Spirito Santo è un *Leitmotiv* quasi ossessivo del testo di Robert; egli inoltre sottolinea ripetutamente l'autorità della Chiesa e l'importanza del battesimo con l'acqua. Robert potrebbe quindi implicitamente pronunciarsi contro il movimento cataro, che rifiutava tutti questi elementi del cristianesimo cattolico convenzionale e che, all'epoca della stesura del *Giuseppe d'Arimatea*, stava guadagnando un tale seguito nel Sud della Francia che papa Innocenzo III indisse la crociata albigese poco più tardi, nel 1209.) Inoltre, Gesù spiega il simbolo del sacramento eucaristico, che d'ora in poi ricorderà sempre il servizio che Giuseppe gli aveva reso. Qui si dice chiaramente che il recipiente dell'Ultima Cena nelle mani di Giuseppe corrisponde simbolicamente al calice della messa, e Robert di Boron per la prima volta usa esplicitamente il termine «graal» per il calice che Gesù usò nell'Ultima Cena e nel quale Giuseppe d'Arimatea raccolse il suo sangue.

Giuseppe rimane murato nella sua prigione per molto tempo, ma è tenuto in vita dal Graal. Frattanto a Roma si viene a sapere delle guarigioni miracolose che Gesù aveva compiuto. Poiché Vespasiano, il figlio dell'imperatore romano, è malato di lebbra, il padre invia dei legati in Giudea per trovare una reliquia che possa curare Vespasiano. Guarito dal sudario della Veronica, in segno di gratitudine Vespasiano vuole catturare coloro che si sono resi responsabili della Crocifissione di Cristo e si reca lui stesso in Giudea dove punisce i colpevoli e libera Giuseppe di Arimatea dalla prigione. Il fatto che egli sia ancora vivo e vegeto nonostante la sua lunga prigionia è riconosciuto da tutti come un grande miracolo; Vespasiano viene istruito da Giuseppe stesso nella dottrina cristiana e si converte al cristianesimo.

Dopo la sua liberazione Giuseppe parte con suo cognato Bron e un gruppo di ebrei convertiti per fondare una comunità religiosa in un paese straniero. Nel corso del tempo, però, alcuni dei suoi compagni ricadono in una vita peccaminosa; questo fa sì che i raccolti falliscano e la comunità sia sull'orlo della fame. Quindi Giuseppe si rivolge al Graal e la voce dello Spirito Santo gli rivela come scoprire i peccatori della sua comunità: questi non riescono a sedersi alla tavola imbandita con il Graal, mentre i puri, che possono prendervi posto, sono pervasi da un profondo senso di gioia e di grazia. Così Giuseppe può identificare i peccatori e cacciarli. Il Graal sembra qui associato sia al nutrimento sia alla ricerca della verità. Allo stesso tempo la tavola del Graal di Giuseppe diventa una copia della tavola dell'Ultima Cena di Gesù: alla prima un posto rimane sempre vuoto, in corrispondenza di quello dove era seduto Giuda nell'Ultima Cena. Un compagno peccatore di Giuseppe, che usurpa ingiustamente un posto alla tavola del Graal e, sfidando l'avvertimento di Giuseppe, si accomoda al posto vuoto di Giuda, viene immediatamente inghiottito da una voragine di incommensurabile profondità.

Fino a questo punto il Graal si trova sempre in Giudea, ma il *Perceval* di Chrétien colloca la leggenda del Graal nel Galles. Nel *Giuseppe d'Arimatea* Robert de Boron crea il contesto necessario a spiegare come il Graal arrivi infine in Gran Bretagna dalla Giudea. Infatti, quando Giuseppe chiede al Graal quale debba essere il futuro dei figli di suo cognato Bron, un angelo gli rivela quale di questi giovani – Alain li Gros – sarà il capo della sua famiglia; Giuseppe lo adotta come proprio figlio, lo inizia alla storia del Graal e ai segreti della fede, e per volere dell'angelo lo invia, insieme ai suoi fratelli e alle loro famiglie, nel più lontano Ovest, dove egli annuncia la dottrina cristiana. Inoltre, una voce celeste incarica Giuseppe di lasciare che un altro dei suoi compagni, un certo Pietro, vada dove vuole con una lettera che appare improvvisamente in una luce celeste – e la destinazione saranno le «Valli di Avalon» in Occidente. Lì deve aspettare il figlio di Alain, che leggerà la lettera per lui e gli spiegherà il potere del Graal. Pietro non potrà morire fino ad allora, dopo di che andrà in cielo. Il Graal, però, viene passato da Giuseppe, su indicazione di un messaggero di Dio, a Bron, che aveva pescato per Giuseppe e sarà quindi chiamato il «Re Pescatore»; e anche Bron seguirà il suo cuore verso ovest. Così tre membri della famiglia del Graal, che con questa divisione in tre diventa un simbolo della Trinità, migrano verso ovest, cioè verso la Gran Bretagna. Giuseppe, invece, trascorre i suoi ultimi giorni in Giudea. (Solo una versione successiva della leggenda, come raccontata nell'odierna Glastonbury, presenterà il viaggio in Gran Bretagna di Giuseppe d'Arimatea in persona.)

L'opera di Robert presenta una preistoria del Graal che per la prima volta lo inserisce nella storia della salvezza cristiana, facendone una reliquia della Passione e creando il quadro di riferimento della concezione del Graal che dominerà la rielaborazione della materia nei secoli successivi. Allo stesso tempo, fornisce una spiegazione di come questa reliquia sia giunta dalla Palestina alla Gran Bretagna, indicando come la famiglia di Giuseppe sia stata nominata custode del Graal per volontà divina e lo abbia portato in Occidente. Il *Giuseppe d'A-*

rimatea colma così la distanza geografica fra la Terra Santa e il regno di re Artù. La distanza temporale tra la vita di Gesù Cristo e l'epoca della letteratura arturiana è invece raccordata da un altro testo, anch'esso attribuito a Robert de Boron: il suo *Merlin* (*Merlino*). La versione originale in versi di questo testo è conservata solo in un frammento, ma si diffuse ampiamente ed ebbe effetto soprattutto attraverso una versione in prosa. Il *Merlino* di Robert, che si basa in gran parte sull'opera di Geoffrey di Monmouth, racconta la prima storia dei re di Gran Bretagna fino ad Artù. Questo scenario pseudo-storico si svolge dal punto di vista del mago Merlino, che Robert de Boron ritrae come un agente della Provvidenza divina: il suo Merlino era stato generato da un diavolo e dotato di grande potere e intelligenza, con cui sedurre l'umanità; ma la purezza e la profonda fede di sua madre avevano cancellato quella eredità diabolica e persuaso il cielo a benedire Merlino con il talento della veggenza; con l'aiuto dei doni concessigli sia dal diavolo che da Dio, egli interviene ripetutamente nella storia per portare a compimento la volontà di Dio, ma il suo contributo più importante al mito del Graal è la creazione della Tavola Rotonda: Merlino racconta a Uterpendragon, il padre di Artù, della tavola del Graal di Giuseppe d'Arimatea, sulla quale venne poggiato il Graal dell'Ultima Cena e alla quale un posto fu sempre lasciato vuoto, corrispondente a quello dal quale Giuda si era alzato durante l'Ultima Cena. Merlino incarica il re di costruire una terza tavola su quello stesso modello, che, insieme alle due precedenti, dovrebbe simboleggiare la Santa Trinità. Uterpendragon lo fa a Carduel, nel Galles, e ben presto avviene il miracolo: i nobili che siedono alla tavola non vogliono più lasciarla e si amano come i bambini amano i loro genitori, anche se non si conoscono affatto. Merlino spiega inoltre che il posto vuoto a quel tavolo sarà occupato solamente sotto il regno di re Artù, quando un discendente di Alain li Gros, che aveva visto il Graal di persona, vi si accomoderà. Così Merlino collega il Graal direttamente alla Tavola Rotonda, ponendolo al centro del mondo narrativo che circonda re Artù. Il testo si conclude con la profezia di Merlino secondo cui solo un cavaliere della Tavola Rotonda potrà trovare il Graal, guarire il Re Pescatore e diventare il nuovo custode del sangue di Gesù, liberando così la Gran Bretagna dai suoi incantesimi.

Un altro testo, tradizionalmente attribuito a Robert de Boron (ma quasi certamente non scritto da lui e conservato solo in una versione in prosa), completa la sequenza di *Giuseppe d'Arimatea* e *Merlino* in una trilogia chiusa: il *Perceval*, noto anche come *Didot-Perceval* dal suo manoscritto più importante. Un'innovazione fondamentale in questa versione della storia rispetto al *Perceval* di Chrétien è che il protagonista non cresce affatto senza un padre e senza conoscere la cavalleria, anzi al contrario questo nuovo Perceval è il figlio di Alain li Gros, il nipote di Giuseppe d'Arimatea, cui fin da piccolo il padre promette che un giorno lo porterà da Artù. Quando Alain muore, Perceval se ne va per conto proprio e anche in questo *Perceval* ciò sarà causa della morte di sua madre, anche se qui ciò accade non perché la donna teme la morte del figlio come cavaliere, ma perché è preoccupata che le bestie selvatiche della foresta possano mangiarlo. Comunque sia, il comportamento di Perceval porta anche in questo testo alla ricerca del Graal, sebbene in un modo molto diverso che in Chrétien. In questa versione Perceval non entra nella sala del Re Pescatore e, a causa di un malinteso sul galateo di corte, è incapace di porre la domanda giusta; invece, Perceval diventa un membro rispettato della Tavola Rotonda di Artù e, dopo aver vinto un torneo si siede presuntuosamente nel posto vuoto. Come discendente di Alain e del Re Pescatore Bron, egli sfugge al destino di cadere in un abisso senza luce; ma un'oscurità irrompe sulla Terra, la pietra sotto il tavolo si frantuma e una voce denuncia il suo reato. Questa voce rivela a re Artù che il Graal si trova ora in Britannia, e manda i cavalieri della Tavola Rotonda alla ricerca del Graal e del Re Pescatore perché gli rivolgano le domande giuste, sì da guarirlo e liberare la Britannia dalle maledizioni che gravano su di lei. Così tutti i cavalieri della Tavola Rotonda partono alla ricerca del Graal, e la corte di Artù per il momento si dissolve. La ricerca è presto, anche se temporaneamente, conclusa da Perceval, a cui due messaggeri divini inviati dal paradiso da parte dello Spirito Santo indicano la strada per il castello del Re Pescatore. Sebbene la voce alla corte di Artù avesse esplicitamente istruito i cavalieri della Tavola Rotonda a chiedere del Graal e della sua funzione, anche in questa versione della storia Perceval non riesce a fare le domande giuste. Il racconto di Chrétien e i suoi nuovi antecedenti cristiani sono così maldestramente collegati che la logica interna della narrazione a questo punto va in crisi senza che ciò ponga alcun problema all'autore medievale. In questa versione della storia il fatto che Perceval ritrovi il castello del Graal e faccia finalmente le domande giuste è dovuto solo all'intervento di Merlino. Così, in ultimo, non è la cavalleria, ma la saggezza divina di Merlino che porta alla salvezza del Re Pescatore. Dopo la sua guarigione, egli spiega a Perceval che la lancia sanguinante della processione del Graal è la lancia di Longino e che il Graal è il recipiente con cui Giuseppe d'Arimatea raccolse il sangue di Cristo. Tre giorni dopo muore e la sua anima sale al cielo. La Britannia è liberata dagli incantesimi, la pietra sotto la Tavola Rotonda di Artù si salda e Perceval diventa il nuovo custode del Graal.

Il *Perceval* della trilogia del Graal di Robert collega l'esito positivo della ricerca del Graal con la fine del mondo della Tavola Rotonda. Trovando il Graal e ponendo le giuste domande, la Britannia viene liberata – e quindi non offre più sfide e avventure ai cavalieri di Artù. Questi ora vogliono lasciare la sua corte e andare lontano in cerca di nuove missioni, così, per tenerli con sé, Artù si impegna in imprese militari sul continente. Durante la sua assenza, nomina suo nipote Mordred reggente della Britannia, ma questi lo tradisce e si incorona re finché, in una battaglia decisiva, Mordred viene ucciso e Artù ferito mortalmente, e dunque la fine della ricerca del Graal porta indirettamente alla fine dei cavalieri di Artù. La trilogia di *Giuseppe d'Arimatea*, *Merlino* e *Perceval* comprende quindi tutta la storia del mondo arturiano, dal suo inizio alla sua fine, e la fa ruotare interamente intorno al Graal. Allo stesso tempo, la trilogia stabilisce formalmente un nuovo paradigma: quello del ciclo completo, che crea un ritratto globale del mondo arturiano e della sua storia. Più tardi incontreremo ancora questa forma con il *Lancelot Graal*, il ciclo *Post-Vulgata* e *Le Morte Darthur* di sir Thomas Malory.

I poemi di Robert furono all'avanguardia anche riguardo alla localizzazione geografica del Graal. *Giuseppe d'Arimatea* racconta infatti che due compagni di Giuseppe si incontrano di nuovo nelle «Valli di Avalon». Il testo si riferisce quindi probabilmente a un evento che ebbe luogo poco prima della sua stesura e che inserì la mitica isola di Avalon saldamente sulla mappa dell'Inghilterra del mondo reale: la riesumazione delle ossa di re Artù nella città meridionale inglese di Glastonbury nel 1191. Nel 1184 la grande abbazia di Glastonbury era stata distrutta da un incendio che aveva coinvolto anche un certo numero di altri edifici monastici. Per finanziare la costosa ricostruzione i monaci furono creativi: nel 1191 intrapresero uno scavo «archeologico» nel cimitero del monastero, durante il quale portarono alla luce le ossa di re Artù e di sua moglie Ginevra. Questa trovata pubblicitaria, che potrebbe apparire bizzarra, è stata tramandata in dettaglio da diverse fonti contemporanee ed ebbe un successo sorprendente, tanto che l'abbazia divenne da allora una meta per i turisti arturiani, che portarono entrate considerevoli al monastero. Allo stesso tempo Glastonbury si affermò come località importante sulla mappa letteraria dell'Inghilterra.

Nella letteratura arturiana la morte e la sepoltura di re Artù erano strettamente associate ad Avalon; fu così, dunque, che il «ritrovamento» delle ossa di Artù a Glastonbury portò a identificare questo luogo con Avalon. Con la sua menzione delle «Valli di Avalon», *Giuseppe d'Arimatea* allude presumibilmente a questa trovata contemporanea del monastero di Glastonbury e collega così per la prima volta questo luogo con il Graal. La linea di contatto di cui si è appena detto non ebbe un impatto importante sullo sviluppo della leggenda del Graal nel Medioevo, ma ebbe conseguenze a partire dal XIX secolo, fino ad approdare al paesaggio mitologico moderno con cui è iniziato questo libro, e a una variegata ricezione, su cui torneremo più dettagliatamente nell'ultimo capitolo.

2. Le «Continuazioni» del «Perceval» di Chrétien

Chrétien lasciò il suo *Perceval* come un frammento incompiuto. La trilogia tradizionalmente associata al nome di Robert de Boron rimediò a tale circostanza, ricominciando completamente da capo e raccontando la storia fin dall'inizio, prendendola alla larga. Una soluzione molto diversa sono invece le quattro *Continuazioni* del *Perceval* con le quali, entro pochi anni dalla morte di Chrétien, svariati poeti tentarono di riempire il finale mancante del *Perceval* in diretta successione al testo dell'autore, e così, nel periodo tra il 1190 e il 1230 fu prodotta una serie di testi che fece aumentare i 9.234 versi della storia del Graal di Chrétien a più di 63 mila prima di portare la trama a una conclusione.

La *Prima Continuazione* di autore anonimo fu probabilmente scritta prima dell'anno 1200, ma dopo il *Giuseppe d'Arimatea* di Robert de Boron, poiché riprende da quell'opera la storia dell'origine del Graal e della lancia sanguinante. Il *Perceval* di Chrétien si interrompe nel mezzo di una trama che racconta le avventure di Gauvain, e la *Prima Continuazione* riprende esattamente da questo punto, tessendo in circa 20 mila versi (o anche più, secondo le diverse versioni) la storia di questo cavaliere in una serie di avventure a volte in forma estremamente episodica.

Il romanzo in versi di Chrétien viene così triplicato in lunghezza; eppure la trama non viene portata a un reale compimento, e il Graal non rappresenta il vero obiettivo della narrazione, ma fornisce invece un pretesto per la ricerca di sempre nuove avventure. Nel corso di varie peripezie, il Graal appare solo in due episodi più brevi, nei quali Gauvain trova il castello del Graal, vede la processione e fa anche le domande giuste sul significato del Graal e della lancia sanguinante. Prima di rispondergli, il Re Pescatore, però, sottopone Gauvain a una prova, ovvero riassemblare la spada rotta del Re stesso. Gauvain non ci riesce e il Re Pescatore gli spiega dunque che non ha ancora compiuto pienamente la missione di cavaliere; Gauvain allora parte per nuove imprese. Il Graal diventa così un mero pretesto per continuare a tessere un romanzo a episodi, finalizzato a celebrare le avventure cavalleresche.

La *Seconda Continuazione*, che segue direttamente la prima, fu probabilmente scritta intorno al 1200 da un altro autore anonimo, ed è nuovamente dedicata alla ricerca del Santo Graal da parte di Perceval. Anche questo testo, con i suoi quasi 13 mila versi, non ha l'ambizione di portare la storia a una conclusione definitiva, ma ancora una volta consiste in una serie di azioni cavalleresche che si susseguono. Due volte a Perceval viene persino mostrata la strada per il castello del Graal – ed entrambe le volte prende prontamente una via diversa che lo porta a nuove avventure invece che alla conclusione della storia della sua ricerca. Solo alla fine Perceval raggiunge il castello del Graal, nel quale, come Gauvain, è sottoposto alla prova della spada spezzata, che fallisce perché non ha ancora compiuto sufficienti imprese come cavaliere; si apre così la possibilità di altre avventure. Il motto sembra essere: non c'è motivo per cui trovare un Graal debba intralciare una buona storia. Le prime due *Continuazioni* celebrano dunque il piacere dell'avventura fantastica in sé stessa. Nella *Continuazione* successiva, attribuita a Gerbert de Montreuil e che probabilmente è stata composta una generazione dopo le prime due *Continuazioni*, il tono della narrazione cambia drasticamente: essa non è più infatti dominata dalla gioia delle avventure cavalleresche, ma da un tema centrale completamente diverso, quello del peccato. La chiave per scoprire il segreto del Graal non è più il compimento di atti cavallereschi, ma la libertà dal peccato, soprattutto sotto forma di castità e in particolare di verginità (anche maschile). Una delle caratteristiche salienti di Perceval in questo testo, che lo distingue dagli altri cavalieri, è che non ha mai avuto rapporti sessuali con una donna, e in generale l'autore torna più volte sul tema della sessualità, sia nel contesto di una invettiva contro il comportamento omosessuale sia in un episodio in cui si esprime contro il sesso prematrimoniale. Perceval e sua moglie si astengono persino dal giacere insieme dopo la cerimonia nuziale, temendo per il bene irrecuperabile della loro verginità e di conseguenza per il loro posto in paradiso; passano una parte significativa della loro notte di nozze in ginocchio in preghiera. Anche la cavalleria stessa viene reinterpretata: il compito più importante del cavaliere non è più l'acquisizione di fama attraverso le gesta eroiche, ma la difesa della Chiesa. Quindi non è sorprendente che, in una scena di questa versione, il Graal sia portato da «legioni di angeli». La ricerca del castello del Graal si è spostata dal piano del racconto d'avventura a quello di una spiritualità che rasenta il fanatismo religioso.

L'ultima *Continuazione* è attribuita a un certo Manessier, di cui non si conosce nulla se non la paternità di questo testo. Esso sembra essere stato scritto più o meno nello stesso periodo di quello di Gerbert e senza conoscerlo, probabilmente per Giovanna I di Fiandra, una nipote di Maria di Champagne, alla cui corte Chrétien de Troyes aveva soggiornato a lungo, e nipote di Filippo I di Fiandra, che aveva dato a Chrétien il tema per il *Perceval* originale. Il seguito di Manessier riprende il filo della trama dal punto in cui Perceval ha trovato di nuovo il castello del Graal e, al secondo tentativo, è riuscito a porre le domande corrette. Il Re Pescatore consegna quindi a Perceval un nuovo e ultimo compito necessario per la cura: il cavaliere deve trovare un certo Partinal, che ha ucciso il fratello del Re Pescatore, e vendicarsi di lui. Dopo molte avventure, Perceval riesce anche in questo incarico: trova Partinal, lo decapita e porta la testa mozzata al Re Pescatore, che guarisce subito alla sua vista. Mentre la testa è ora impalata su una picca ed esposta in cima alla torre più alta del castello del Graal, il Re Pescatore nomina Perceval suo erede e il Graal riempie con i piatti più prelibati le tavole della sala del Re per i cavalieri riuniti. Poco dopo il Re Pescatore muore e Perceval viene incoronato Re del castello del Graal. Quando Perceval stesso diventa vecchio, si ritira nel deserto come eremita e alla fine si fa anche ordinare sacerdote. Il giorno della sua morte entra in paradiso e il Graal, la lancia sanguinante e il piatto d'argento vengono portati in cielo sotto gli occhi di tutti. Così finisce la *Terza Continuazione* del romanzo del Graal di Chrétien, e, come afferma Manessier in conclusione della sua opera, nessuno ha più visto il Graal sulla terra.

3. La fortuna romanza: il Graal in Provenza, Italia, Spagna e Portogallo

Il naufragio che ha coinvolto la gran parte degli antichi testi provenzali non confluiti nelle raccolte di poesia confezionate nel Medioevo ostacola una conoscenza completa della tradizione narrativa prodotta nel Sud della Francia. Nonostante le lacune documentarie, da quanto lasciano intuire proprio i poeti, è molto probabile che i romanzi francesi dedicati al Graal si siano fatti conoscere molto precocemente anche in Provenza. Il trovatore Rigaut de Berbezilh, per esempio, paragona il proprio sbigottimento al cospetto della donna amata a quello di Perceval, riferendosi a quando il cavaliere «non seppe domandare / a che cosa servissero la lancia e il Graal (*grazaus*)». Questa allusione potrebbe suggerire una conoscenza diretta del *Perceval* di Chrétien de Troyes, ma la datazione reciproca dei due testi è dibattuta: alcuni studiosi collocano la canzone provenzale tra la fine del XII e l'inizio XIII secolo, ipotizzando che Rigaut, frequentando la corte di Champagne, abbia potuto ascoltare o leggere l'opera di Chrétien. Altri ritengono invece che la testimonianza poetica sia precedente al *Perceval*. Se questo si potesse confermare, saremmo costretti a supporre l'esistenza di una fonte comune, circolante tra Francia del Nord e Provenza già intorno alla metà del XII secolo. Una fonte, dunque, a cui avrebbero attinto Rigaut prima e Chrétien dopo. I problemi di datazione e i termini generici in cui inevitabilmente si esprime la poesia lasciano tra l'altro aperta un'ulteriore possibilità, che cioè Rigaut conosca la scena del corteo del Graal per un altro tramite, ad esempio attraverso il *Perlesvaus*, un romanzo francese in prosa composto nei primi anni del Duecento.

Presso altri trovatori operanti a cavallo tra XII e XIII secolo sono disseminati riferimenti del tipo appena esemplificato, che confermano la fascinazione esercitata sui poeti medievali dalla leggenda del Graal e, più nello specifico, dal racconto di Perceval. Per limitarsi a un solo altro caso, in una canzone di Raimbaut de Vaqueiras, composta tra il 1197 e il 1201, si allude a «Perceval, quando alla corte di Artù / tolse le armi al cavaliere vermiglio», con riferimento all'episodio del *Perceval* di Chrétien in cui il protagonista ottiene armatura e cavallo uccidendo un cavaliere (si veda cap. I, par. 2).

Sempre per via indiretta si può ipotizzare che in Provenza abbia circolato anche la trilogia di Robert de Boron: in due fogli di pergamena scoperti nel 1881 a Gap (Hautes-Alpes) si conserva infatti un frammento duecentesco del *Merlino* di Robert de Boron, trasmesso in traduzione provenzale. Dato che il resto del manoscritto è andato perduto, non abbiamo la certezza che anche gli altri due romanzi della trilogia (*Giuseppe d'Arimatea* e *Perceval*) siano stati effettivamente tradotti. Tuttavia, la stretta prossimità testuale tra il frammento del *Merlino* e una famiglia di manoscritti francesi contenenti la trilogia completa porta a ipotizzare una circolazione meridionale di tutti e tre i romanzi attribuiti a Robert de Boron.

Anche in Italia il primo terreno in cui attecchisce il seme del Graal è quello della poesia. La più antica citazione italiana del *Perceval* va infatti rintracciata in un componimento lirico di Guittone d'Arezzo, *Amor tanto altamente*, composto prima della conversione religiosa del 1265. Si tratta, a dire il vero, di un'allusione rapidissima, in cui il poeta si dice timoroso che il proprio voto di restare in silenzio e non chiedere nulla, come si conviene al servizio d'amore, possa portarlo alla rovina: «Poi m'avenisse, – lasso! – / che mi trovasse in fallo / sì come Prenzevallo a non cherere, / verrei a presente morto». Il riferimento, ovvio per un pubblico cólto medievale, è di nuovo alla scena in cui Perceval, vedendo passare il Graal, non osa porre domande. Un'allusione allo stesso episodio si ritrova in un componimento di Ruggieri Apugliese, poeta e giullare attivo a Siena nel corso del Duecento. Nel testo in questione, che inizia *Tant'aggio ardire e conoscenza*, Ruggieri fa sfoggio del proprio repertorio letterario, che abbraccia anche la materia bretone: subito prima di menzionare Merlino, Artù, la Tavola Rotonda, Tristano e Isotta, il poeta fa un veloce richiamo alla solita scena («e so bene dove andò la lancia / e lo gradale»), vantandosi di conoscere quel che nessun altro poeta sa e che neppure Perceval ha osato chiedere.

Per il Duecento è tutto, almeno nell'ambito della letteratura. Si può aggiungere che, in una cronaca genovese composta in latino sul finire del XIII secolo, l'arcivescovo Jacopo da Varagine descrive il bacile («catinum») che si custodisce nel tesoro della cattedrale di San Lorenzo a Genova, dove l'oggetto è conservato ancora oggi. Il bacile è identificato con il piatto o la scodella usati da Cristo nell'Ultima Cena, ossia – continua Jacopo – con il «vaso che nei loro libri gli inglesi chiamano *Sangraal*». Dello stesso recipiente parlava anche una fonte più antica, la cronaca di Guglielmo di Tiro (1184). Stando a queste fonti, i genovesi avrebbero ottenuto la reliquia nel 1101 durante la presa di Cesarea Marittima, in Terra Santa. Per tutto il Medioevo e oltre, il cosiddetto Sacro Catino di Genova è stato al centro di un culto appassionato, che però, nonostante l'esplicita associazione al Graal dei romanzi, non si è materializzato in nessun testo letterario. La cosiddetta *Compilazione arturiana* di Rustichello da Pisa, che fu composta negli anni Settanta del Duecento e circolò da subito in area tirrenica, non contiene riferimenti al Sacro Catino. Quanto al Graal, il testo lo menziona di sfuggita, come oggetto della ricerca di Galaad e altri cavalieri.

Nell'Italia di epoca comunale circolano numerosi manoscritti di prose cavalleresche francesi, sia in lingua originale, sia in versioni francesi più o meno italianizzate, e poi in traduzione. Nel Trecento vedono la luce il *Lancellotto*, la *Storia* e l'*Inchiesta del San Gradale*, trasposizioni toscane dei romanzi in prosa francese – rispettivamente il *Lancelot*, l'*Estoire* e la *Queste del Saint Graal* – di cui si parlerà più avanti (si veda par. 5). Per il momento vale la pena osservare che il trasferimento nella nuova lingua e nel nuovo contesto culturale non si accompagna però a una metamorfosi: il «Gradale» italiano, cioè, mantiene intatte le caratteristiche di partenza; è sempre indicato come un «vasello» (calco del fr. *vaissel*, «recipiente») e conserva il significato che la tradizione romanzesca francese attribuiva al Graal, almeno dopo la ricodifica in senso cristiano operata da Robert de Boron. Le stesse considerazioni valgono per la *Tavola Ritonda*, una compilazione toscana di materiali cavallereschi che fra Tre e Quattrocento ebbe una notevole circolazione, dimostrata fra l'altro dall'esistenza di una redazione padana e di una umbra. In Italia, gli spunti

54

più originali per il rinnovamento del materiale narrativo, che però non coinvolgono direttamente il Graal, si osservano nei cantari in ottava rima, che ebbero una certa diffusione subito prima dell'avvento di Boiardo e Ariosto.

La situazione generale descritta per Provenza e Italia trova una sostanziale corrispondenza nel panorama letterario della penisola iberica. Qui l'influsso della tradizione francese si esercitò in una prima fase per il tramite dei trovatori locali in contatto con i circuiti poetici provenzali e poi, più tardi, nella forma di traduzioni nelle lingue iberiche. A partire dal Trecento sono infatti attestate versioni portoghesi, galeghe, catalane e castigliane dei principali romanzi francesi in prosa. Mentre la Catalogna recepisce in maniera frammentaria gli elementi costitutivi del *Lancelot-Graal*, in Castiglia, Galizia e Portogallo penetra soprattutto il ciclo *Post-Vulgata* (su cui si veda par. 5). Le traduzioni spagnole e galego-portoghesi sono tra l'altro di fondamentale importanza per la ricostruzione di questo stesso ciclo, che, non essendo sopravvissuto in una versione francese autonoma e unitaria, dev'essere riassemblato con il contributo dei frammenti iberici.

Per tutti i territori di lingua romanza si può osservare, in definitiva, una comune modalità di ricezione: si assiste cioè a un fenomeno di importazione diretta e piuttosto passiva dalla Francia, che non comporta una libera riscrittura della materia di partenza. Questa continuità va spiegata alla luce del fatto che, nonostante le ovvie differenze locali, all'interno dello spazio romanzo si percepisce un fondo culturale e linguistico piuttosto omogeneo. In quest'ottica, non è affatto un caso che siano state le civiltà germaniche a prendere l'iniziativa di sottoporre il Graal a una più radicale trasformazione.

4. *Immagini alternative del Graal: il Graal in Germania e Scandinavia*

Il Graal è stato ripreso anche nella letteratura tedesca medievale, per esempio nel romanzo cavalleresco *Diu Crône* (*La corona*) di Heinrich von dem Türlin (prima metà del XIII secolo), che tratta principalmente delle avventure di Gauvain, o nel *Giovane Titurel* (ca. 1260-1272), un romanzo sul Graal, straripante ed estremamente dotto, scritto da un certo Albrecht. La più importante elaborazione tedesca del tema del Graal nel Medioevo, tuttavia, è probabilmente il *Parzival* di Wolfram von Eschenbach. Questo romanzo tratta l'argomento in circa 25 mila versi in medio-alto tedesco e, con oltre ottanta manoscritti conservati per intero o in frammenti, è uno dei più ricchi poemi narrativi cortesi sopravvissuti nel mondo di lingua tedesca.

L'opera di Wolfram ha anche avuto un forte impatto sulla ricezione tedesca del tema nel XIX e XX secolo. Del suo autore non si sa quasi nulla, se non che probabilmente proveniva dalla piccola città di Wolframs-Eschenbach nella Franconia centrale e che scrisse il suo *Parzival* negli anni tra il 1200 e il 1210. Il punto di partenza di Wolfram era il *Perceval* di Chrétien de Troyes, ma il suo *Parzival* non è una semplice traduzione, bensì un nuovo adattamento autonomo che dà al materiale di Chrétien un profilo proprio e completa il modello frammentario in francese antico in un insieme coerente. (Non è stato possibile dimostrare che Wolfram abbia usato una delle *Continuazioni* del *Perceval* per questo completamento.) La sua visione del mondo del Graal è caratterizzata tra l'altro da un senso dell'umorismo a volte pungente, da un'enfasi coerente sulla battaglia e sull'amore cortese come nucleo della vita cavalleresca, e dall'assenza dell'invadente santificazione che pervade molti testi del Graal successivi. Il tema del peccato – cioè la questione della natura del misfatto di Parzival che lo fa fallire nel suo primo incontro con il Graal – è ripetutamente affrontato, ma con risposte molto diverse dai vari protagonisti della narrazione e quindi alla fine rimane aperto. La paura ossessiva del peccato che caratterizza la *Continuazione* di Gerbert de Montreuil, per esempio, è completamente estranea a Wolfram.

È proprio nel suo trattamento del materiale del Graal che Wolfram si prende alcune libertà nei confronti dell'originale. In primo luogo chiama il castello del Graal, che non ha nome in Chrétien, «Munsalvaesche», un nome che incontreremo anche in seguito, visto che ebbe conseguenze per la storia della ricezione del Graal all'inizio del XX secolo. Munsalvaesche è solitamente interpretato come *mont sauvage* («montagna selvaggia»); Wolfram amava i neologismi di ispirazione francese, e il nome sembra riferirsi in effetti alla posizione del castello del Graal, descritto sorgere su una montagna in una zona selvaggia e inaccessibile. In Wolfram l'accesso al castello è sorvegliato da una comunità di cavalieri del Graal, che ci ricordano gli ordini cavallereschi contemporanei, i quali bloccano con la forza e fatalmente la strada di (quasi) tutti i cercatori del Graal. Il Graal stesso, tuttavia, è meno connotato in modo religioso e cristiano rispetto a quello di Robert de Boron. L'interpretazione del Graal come calice dell'Ultima Cena e reliquia della Passione non è adottata da Wolfram. Qui il Graal diventa una pietra che fornisce un'abbondanza straordinaria di tutte le prelibatezze immaginabili per i banchetti nel castello del Graal: dopo che una vergine pura ha portato il Graal nella sala del banchetto, pani, vari tipi di carne, salse, vini – in realtà tutto ciò che ogni commensale può desiderare, e tanto quanto ne può mangiare – gli appaiono davanti. Il Graal diventa una cornucopia, e Wolfram paragona il banchetto del Graal a quello atteso nel regno dei cieli. Il collegamento tra la processione del Graal e il banchetto, che era già implicito in Chrétien, è così rafforzato e presentato come un'abbondanza di cibo dall'aspetto fortemente mondano che appare dal nulla. Wolfram si riferisce alla pietra del Graal come *lapsit exillis*; pur in assenza di un consenso tra gli studiosi, l'interpretazione di questa oscura espressione come *lapis ex coelis* («pietra dal cielo») si è ampiamente affermata nella ricezione esoterica contemporanea (per un esempio, si veda cap. IV, par. 1). La vista di questa pietra dà vita e giovinezza, così che nessuno che la veda regolarmente invecchia o muore. L'accesso alla comunità del Graal è possibile solo attraverso la chiamata divina, la quale è rivelata dal nome della persona o delle persone che appare in un'iscrizione sulla pietra del Graal. Sebbene questo Graal non abbia quasi nulla in comune con il calice di Giuseppe d'Arimatea, anch'esso ha una connotazione cristiana: riceve infatti il suo potere miracoloso dal fatto che ogni Venerdì Santo una colomba scende dal cielo e pone un'ostia sulla pietra del Graal, dalla quale si alimenta il suo potere; questa colomba serve poi anche come emblema della comunità del Graal, che i suoi membri portano sui propri abiti. Wolfram gioca in questo modo con i simboli cristiani, ma rimane (relativamente) ambiguo. Il Graal è inserito in un universo cristiano, ma questo inserimento è chiaramente più debole che nella concezione del Graal come reliquia della Passione.

Lo stesso vale per il secondo elemento centrale della processione del Graal. In Wolfram von Eschenbach, la lancia sanguinante è esplicitamente la lancia di un pagano, con la quale in un duello, causato dall'amore di una donna, ha trafitto i testicoli del re del Graal Anfortas, il Re Pescatore, rimasto anonimo in Chrétien. Questa lancia è chiaramente separata dalla lancia di Longino, e il ferimento del Re Pescatore è passato dal regno spirituale a quello dell'avventura amorosa. Questo tipo di avventura poteva essere inappropriato per il re del Graal, ma era comunque irresistibile: nell'opera di Wolfram l'amore vince sul Graal, anche se le conseguenze a volte sono dolorose. Ma la cosa più significativa è che il dolore non è definitivo. Il romanzo si conclude infatti con la guarigione di Anfortas e l'elevazione di Parzival a Re del Graal. Viene anche compiuta la processione del Graal e si scopre che il fratello non battezzato di Parzival non può vedere il Graal. Tuttavia, può vedere la bella donna che porta il Graal e si innamora perdutamente di lei. All'amante viene detto che può vedere il Graal solo se viene battezzato e – più importante per lui del Graal – che il battesimo è anche il prerequisito per poter sposare la portatrice del Graal. Quest'ultimo, e solo quest'ultimo, è il punto decisivo per il cavaliere, che viene battezzato, vede il Graal, ma ha occhi solo per la donna e parte con lei per una vita felice lontano dal castello del Graal di Munsalvaesche. Il Graal è una pietra miliare sulla via della beatitudine, ma questa beatitudine sta con entrambi i piedi sul terreno solido delle relazioni interpersonali reali – e quindi non ci sorprendiamo quando Wolfram rivela nei suoi ultimi versi di avere scritto la sua grande epopea cavalleresca per una donna.

Il Graal fu recepito anche in Scandinavia – sebbene con qualche perplessità. A metà del XIII secolo Hákon Hákonarson, re di Norvegia dal 1217 al 1267, cercò di introdurre il suo popolo, e specialmente la sua corte, alla cultura dei paesi più meridionali, facendo tradurre in norreno un certo numero di testi di corte francesi antichi.

Questa letteratura aveva lo scopo di contribuire all'educazione dei suoi sudditi. Fra i testi in questione c'era il *Perceval* di Chrétien de Troyes, che fu tradotto come *Parcevals saga* (*Il racconto di Perceval*). Già a partire dall'episodio del primo incontro di Parceval con il Graal, è chiaro che il traduttore norvegese e i copisti successivi del testo erano confusi dalla scena almeno quanto il loro eroe cavaliere. Così, in alcuni manoscritti il sangue della lancia gocciola dal naso di colui che la porta. La parola francese *graal* è resa con *braull*, e poiché entrambi i termini rimangono incomprensibili, si aggiunge una spiegazione: «e possiamo chiamare questo "ampio servizio"», dove la parola «servizio» si riferisce forse al servire il cibo a un ospite. Anche l'ultimo oggetto portato nella processione del Graal attraverso la sala del Re Pescatore ha causato alcuni problemi in Scandinavia: invece di un piatto da portata d'argento, il testo qui contiene una parola di significato sconosciuto che appare solo in questo punto e da nessun'altra parte nella letteratura nordica – presumibilmente un errore nel testo o un riflesso della perplessità del traduttore di fronte a una scena che è completamente oscura per lui. Nell'Islanda medievale, dove ebbe origine la maggior parte della letteratura in antico norreno, le traduzioni norvegesi dei romanzi cavallereschi dall'antico francese furono lette con entusiasmo e furono aggiunti volumi su volumi di romanzi. Dal Graal, tuttavia, si stette alla larga nel lontano Nord: la gente non sapeva bene che farsene di quello strano oggetto.

5. *Spiritualizzazione e gigantismo: da «Lancelot Graal» a «Le Morte Darthur»*

Se si volesse riassumere la ricezione del Graal in Wolfram von Eschenbach e alla corte di Hákon Hákonarson in Scandinavia con due parole chiave, esse sarebbero probabilmente «continuazione della tradizione di Perceval» e «separazione dal simbolismo della messa». Sia la *Parcevals saga* che il *Parzival* di Wolfram sono trasmissioni più o meno libere della storia di Chrétien sull'originario Parzival cavaliere del Graal, ed entrambi prendono le distanze dalla reinterpretazione del Graal come il calice dell'Ultima Cena, introdotta da Robert de Boron. Con questa interpretazione Robert aveva fatto del Graal il calice originale della messa, poiché la messa cristiana non è altro che la ripetizione rituale dell'Ultima Cena. Wolfram, tuttavia, con la sua rappresentazione del Graal come una pietra, prende una posizione decisamente contraria, e in Scandinavia si era comunque perplessi sul materiale del Graal; talvolta non si era nemmeno sicuri che il sangue sulla lancia non venisse da un attacco di epistassi.

Nel contesto di lingua francese e un poco più tardi nei paesi di lingua inglese, invece, i due termini di riferimento sarebbero probabilmente stati «spiritualizzazione» e «gigantismo». Basandosi su Robert de Boron, la storia del Graal viene continuata precisamente come una storia religiosa cristiana e presentata di nuovo in grandi cicli e vedute d'insieme, a volte quasi strabordanti.

Probabilmente tra il 1215 e il 1230 fu prodotta la trattazione più estesa del tema: il ciclo del *Lancelot-Graal* o ciclo *della Vulgata*. Questa elaborazione del materiale in prosa in francese antico comprendeva inizialmente le tre sezioni *Lancelot* (*Lancillotto*), *Queste del Saint Graal* (*La ricerca del santo Graal*) e *La Mort le Roi Artu* (*La morte di re Artù*). Più tardi questo testo già lungo fu ampliato e vennero aggiunti una narrazione degli antecedenti nella forma dell'*Estoire del Saint Graal* (*La storia del santo Graal*) e *Merlin* (*Merlino*). Per dare un'idea della portata di questo testo, la prima edizione completa moderna del *Lancelot-Graal* comprendeva sette volumi di grande formato, con in totale più di 2.800 pagine. Nella sua forma finale, in cinque volumi, il *Lancelot-Graal* inizia con Giuseppe d'Arimatea e un resoconto della storia dell'origine del Graal come stabilito originariamente da Robert de Boron. È proprio il Graal, però, che la storia perde quasi di vista subito dopo: la sezione centrale del *Lancelot-Graal* è una narrazione stripante delle avventure di Lancillotto, che costituisce la metà dell'intera opera, e già da questo Lancillotto appare come l'eroe centrale del ciclo.

Il cavaliere originale del Graal, Perceval, invece, passa molto in secondo piano: da vero e unico cavaliere del Graal diventa un eroe secondario che, anche se spicca sulla maggior parte degli altri cavalieri della Tavola Rotonda ed è uno dei pochi a cui viene permesso di trovare il Graal, tuttavia è messo in ombra dal nuovo cavaliere del Graal – il cui ruolo spetta ora a Galahad, che è una delle grandi novità del *Lancelot-Graal* rispetto ai testi precedenti. Il fatto che Galahad assuma il ruolo di cavaliere del Graal è probabilmente legato al peso che l'opera nel suo insieme dà alla figura del cavaliere Lancillotto, visto che Galahad è suo figlio. A Lancillotto stesso è anche permesso di intravedere da lontano il Graal velato; non gli è consentito però di avvicinarcisi, perché la sua relazione adulterina con Ginevra lo rende troppo peccaminoso e impuro per poter toccare qualcosa di così sacro. Con lo spostamento dell'attenzione da Perceval a Galahad e Lancillotto, il *Lancelot-Graal* rappresenta uno spartiacque narrativo: da questo momento in poi Galahad diventa una o addirittura la figura centrale della leggenda del Graal, influenzando così parti importanti della storia della ricezione moderna del Graal. La storia del Graal ha acquisito un nuovo eroe.

Il passaggio da Perceval a Galahad va di pari passo con un cambiamento fondamentale del concetto di purezza. Il Perceval di Chrétien è un essere umano imperfetto: la sua avventatezza nei confronti della madre porta alla morte di lei e questo peccato causa il fallimento del cavaliere nel castello del Graal e quindi lo costringe a cercare il Graal stesso. Il *Perceval* di Chrétien racconta una storia di espiazione e di crescita interiore. Il nuovo cavaliere del Graal, Galahad, invece, diventa il prescelto perché è libero da ogni peccato fin dall'inizio: Galahad diviene il primo tra i cavalieri del Graal perché non ha mai peccato e, in particolare, non è mai andato a letto con una donna. Anche Lancillotto non riesce a vedere il Graal se non coperto dal velo perché non può lasciarsi alle spalle il suo amore per Ginevra, per quanto si sforzi. Il peccato, una volta commesso, sembra quasi insormontabile. Il desiderio di purezza spirituale e, in particolare, la paura del peccato (soprattutto sessuale) e delle sue conseguenze entrano così al centro della narrazione con un'intensità ossessiva che non era ancora riscontrabile in Chrétien.

Circa una generazione dopo la sua scrittura, forse tra il 1230 e il 1240, il *Lancelot-Graal* fu rielaborato, dando vita al ciclo *Post-Vulgata*. Questo ciclo non è stato conservato nella sua interezza, ed è disponibile oggi solo sotto forma di frammenti in francese antico e traduzioni in spagnolo e portoghese. Come il *Lancelot-Graal*, il ciclo *Post-Vulgata* consiste in una *Estoire del Saint Graal* (*Storia del Santo Graal*), un *Merlin* (*Merlino*) con una *Suite du Merlin* (*Il seguito del Merlino*), una *Queste del Saint Graal* (*Ricerca del Santo Graal*) e una *Mort le roi Artu* (*Morte di re Artù*). Quello che manca rispetto al *Lancelot-Graal* è una parte del *Lancillotto*. La differenza principale rispetto all'originale sono i tagli, anche se il risultato rimane ancora di lunghezza monumentale. L'autore del ciclo *Post-Vulgata* sembra aver preso avvio dal grande ruolo che assume il motivo dell'amore adultero tra Lancillotto e Ginevra nel *Lancelot-Graal*. Sembra infatti che l'autore abbia voluto creare un ciclo arturiano che si concentrasse su re Artù e il Graal, non sul comportamento peccaminoso di uno dei cavalieri più importanti della Tavola Rotonda; così rimosse *Lancillotto* dal ciclo. Anche sotto altri aspetti il testo è ossessionato in particolare dal problema del comportamento sessuale peccaminoso; continua, in questo senso, il processo di spiritualizzazione della ricerca del Graal: l'attenzione del narratore si sposta sempre di più dall'avventura al peccato.

Una nota oscura si trova anche nel poema *Le Morte Darthur* (*La morte di Artù*) di sir Thomas Malory, un monologo narrativo in prosa in inglese che rappresenta l'ultima e fino ad oggi forse la più potente visione d'insieme del mondo arturiano che la letteratura medievale abbia prodotto. Con quest'opera Malory riuscì a creare un quadro del mondo della Tavola Rotonda dal concepimento di Artù alla sua morte e a quella di Lancillotto. Poco si sa dell'autore stesso, sostanzialmente solo quello che egli rivela di sé in *Le Morte Darthur*: si chiamava sir Thomas Malory (sfortunatamente un nome abbastanza comune ai suoi tempi), era un cavaliere, passò parte della sua vita in prigione e finì di lavorare su *Le Morte Darthur* nel 1469 o 1470. Dal punto di vista personale, è probabilmente da identificare con sir Thomas Malory di Newbold Revel nel Warwickshire, nell'Inghilterra centrale; se questa attribuzione è corretta, allora probabilmente l'autore nacque tra il 1414 e il 1418 e morì nel marzo 1471. La stesura di *Le Morte Darthur* avviene quindi nel mezzo della guerra delle due Rose, che vide le case nobiliari di York e Lancaster contendersi per trent'anni il trono reale inglese, e alla fine di una vita movimentata e spesso violenta: Thomas Malory di Newbold Revel era un proprietario terriero locale, a periodi membro del Parlamento inglese, e tutt'altro che un personaggio pacifico; lo spettro dei crimini di cui fu accusato nel corso degli anni andava dall'estorsione al furto e alla rapina, dallo stupro al tentato omicidio. Tuttavia, non è chiaro fino a che punto le accuse fossero giustificate, dato che probabilmente Malory prese parte alla guerra tra York e Lancaster da entrambe le parti, in tempi diversi; in ogni caso, passò almeno otto anni in prigione, e potrebbe anche aver scritto il suo *Le Morte Darthur* proprio in questo periodo di detenzione. Il testo è conservato in due versioni: un manoscritto e una versione a stampa leggermente diversa, che fu pubblicata per la prima volta nel 1485 da William Caxton, uno dei primi stampatori inglesi. La versione conservata nel manoscritto fu probabilmente parte del processo di pubblicazione della versione a stampa come testo di laboratorio; tuttavia, non ebbe praticamente alcuna influenza sulla ricezione dell'opera, poiché fu riscoperta solo nel 1934.

Nella redazione di *Le Morte Darthur* Malory ha attinto a diverse fonti. Tra gli altri, egli trasse spunto dal ciclo francese del *Lancelot-Graal*; la specifica elaborazione del tema del Graal in Malory è in gran parte basata sulla sua *Queste del Saint Graal* e in genere aderisce strettamente a questo modello. Di conseguenza, anche in Malory Galahad è il principale cavaliere del Graal. Sebbene la rappresentazione del Graal di Malory sia stata adattata da un testo che all'epoca aveva già più di duecento anni, il quadro dialettico della narrazione può essere letto molto bene nel contesto del presente dell'autore; forse uno dei risultati più importanti di Malory è stato quello di aver reso il materiale arturiano sopravvissuto fino a lui nuovamente rilevante per il suo tempo, poco prima che l'interesse si spegnesse, per il momento almeno, con la fine del Medioevo.

Malory usa il Graal come un elemento di unione che tiene insieme grandi parti della composizione del suo *Le Morte Darthur*. All'inizio il re Pelles, che in Malory interpreta il ruolo del Re Pescatore, viene ferito da un «doloroso colpo di spada» che può essere guarito solo dal cavaliere del Graal. Che il ruolo di questo cavaliere sarà svolto da Galahad è evidente da un'apparizione del Graal poco dopo la sua nascita. Questo dettaglio è importante perché illustra che dall'inizio della sua vita il Galahad di Malory è un eletto la cui purezza innata lo pone al di fuori dei normali standard cavallereschi. In effetti, Galahad vive poi la sua vita in un modo sostanzialmente diverso da quello di quasi tutti i suoi compagni cavalieri. Il «caso normale» dell'azione cavalleresca è il compimento di grandi gesta in onore di una dama; Lancillotto, per esempio, compie le sue gesta eroiche per onorare e, forse ancora di più, per impressionare Ginevra. Galahad, invece, si tiene lontano dall'amore. Più e più volte la narrazione di Malory sottolinea che Galahad è un uomo vergine, senza peccato, e solo per questo puro abbastanza per trovare il Graal. Il successo nella ricerca del Graal come fine supremo della Tavola Rotonda è così non soltanto disgiunto dall'ideale del rapporto amoroso cavalleresco, ma addirittura posto in un rapporto decisamente dialettico con esso: si può perseguire solo uno o l'altro, ma non entrambi. La cavalleria «mondana», «secolare», che serve un amore terreno è in tal modo contrapposta a una cavalleria «spirituale» che mira alla salvezza ultraterrena. Questo contrasto viene così intrecciato con destini molto diversi.

La cavalleria terrena fallisce nella ricerca del Graal, in cui periscono molti degli indegni cavalieri della Tavola Rotonda, e alla fine si lacera in una lotta interiore che nasce dalla relazione tra Lancillotto e Ginevra: l'amore mondano motiva la cavalleria terrena, ma allo stesso tempo la distrugge. La cavalleria spirituale del Graal di Galahad, invece, trova la salvezza e, alla fine della narrazione del Graal, l'anima di Galahad viene portata dagli angeli in paradiso, mentre una mano celeste sottrae per sempre il Graal e la lancia sanguinante dal mondo degli uomini. Se si guarda la storia sullo sfondo biografico del cavaliere Malory, la cui vita fu segnata dalla guerra civile, dalla prigionia e da intrecci politico-giudiziari, allora ci si può chiedere se la cavalleria spirituale non fosse presentata in quest'opera come progetto alternativo alla cavalleria mondana che, al tempo di Malory, era in procinto di fallire moralmente e di scomparire fisicamente. Se si interpreta la storia in questo modo, il Graal rappresenta l'unico mezzo con cui la cavalleria può salvare sé stessa dalla futura estinzione che essa stessa ha causato, anche se questa salvezza richiede una reinterpretazione talmente radicale della cavalleria che alla fine porta anch'essa alla scomparsa di questa istituzione dal mondo, letteralmente e metaforicamente. Il cavaliere di maggior successo è Galahad, ma ci riesce al prezzo di abbandonare i valori che avevano costituito l'antica cavalleria: il mondo e l'amore.

Il modo in cui Malory incorpora un testo antico di duecento anni nella sua visione complessiva del mondo arturiano può rappresentare forse la caratteristica più importante del tema del Graal: la sua capacità di assumere nuovi significati per lettori e adattatori molto diversi in situazioni altrettanto diverse e quindi di rimanere attuale. Dopo Malory, tuttavia, il fascino del Graal nell'immaginario europeo andò scemando. *Le Morte Darthur* di Malory fu ristampato diverse volte, ma la stessa spiritualizzazione del materiale del Graal, che lo aveva preservato dal fallimento della cavalleria secolare, divenne presto la sua rovina.

Malory e i suoi predecessori avevano creato una forte associazione tra il Graal e il simbolismo della messa cattolica: il Graal, come il calice dell'Ultima Cena e allo stesso tempo come il recipiente in cui era stato raccolto l'autentico sangue di Cristo, incarnava la dottrina della transustanziazione, cioè la trasformazione del pane e del vino del sacrificio della messa nel corpo e nel sangue di Cristo. Con la Riforma, tuttavia, proprio questa parte del simbolismo del rito della messa divenne alquanto problematica e il Graal perse il suo ruolo di simbolo culturale e oggetto di fascino diffuso. Si potrebbe forse spingersi ad affermare che Lutero sia stato l'affossatore del Graal.

La perdita di centralità del Graal si accentuò nel Rinascimento, quando ci si allontanò dal materiale medievale e, allo stesso tempo, ci si orientò verso l'antichità classica. Così il Graal scomparve dal mondo reale per diversi secoli, quasi come Malory lo aveva rimosso dal mondo del suo racconto cavalleresco. Tuttavia non scomparve per sempre.

CAPITOLO TERZO

ENTUSIASMO PER IL MEDIOEVO E
PER IL GRAAL: DALLA RISCOPERTA
ALLA PRIMA GUERRA MONDIALE

1. *Il ritorno del Graal in patria: il Rinascimento del Graal in Gran Bretagna*

Così come aveva segnato la fine del periodo d'oro medievale della storia del Graal, tre secoli dopo l'opera monumentale di Malory inaugurò il ritorno del Graal in Gran Bretagna. Tra il 1816 e il 1817 furono pubblicate tre nuove edizioni di *Le Morte Darthur*, che resero il mondo della Tavola Rotonda di nuovo accessibile al pubblico di lingua inglese per la prima volta dopo molto tempo. Il momento non poteva essere più opportuno. I temi storici e specialmente medievali erano in voga e negli stessi anni sir Walter Scott, il creatore del romanzo storico, stava godendo di un successo di pubblico senza precedenti con le sue storie su temi medievali e della prima modernità. Al più tardi alla metà del secolo il Graal catturò l'immaginazione di importanti artisti e letterati. Non ultimo tra questi fu William Morris (1834-1896), uno dei fondatori del movimento Arts and Crafts e del socialismo britannico, e quindi uno dei principali intellettuali del suo tempo. Nel 1856 e nel 1858 Morris pubblicò due poemi, in entrambi i quali il tema del Graal è trattato dalla prospettiva del personaggio di Galahad: *Sir Galahad, a Christmas Mystery* e *The Chapel in Lyoness*. *Sir Galahad* di Morris presenta Galahad come un cavaliere che dubita di aver preso la decisione giusta rinunciando alla vicinanza e al calore di una storia d'amore nella sua ricerca del Graal. Questi dubbi vengono dissipati quando il Salvatore stesso gli appare in una visione, lo incoraggia nella sua condotta di vita e soprattutto nella rinuncia a una relazione amorosa (considerata peccaminosa), e infine gli angeli gli mostrano la strada verso il Graal, che diventa così la ricompensa per una vita di fede e castità. Tuttavia, Galahad non prova calore e conforto, anzi piuttosto l'incontro con il Signore lascia il cavaliere quasi paralizzato dal terrore e profondamente esausto. Inoltre, il poema termina con una descrizione del fallimento della maggior parte dei cavalieri arturiani, gran parte dei quali non ha trovato nulla se non la morte. La promessa del Graal è così oscuramente vanificata. Il fallimento della ricerca del Graal è anche al centro del secondo poema del Graal di Morris, *The Chapel in Lyoness*.

Di maggiore importanza letteraria, eppure sempre ambivalente, è la rielaborazione del materiale arturiano da parte di Alfred Lord Tennyson (1809-1892), il poeta più importante nella Gran Bretagna della seconda metà del XIX secolo, che dal 1850 fino alla sua morte ricoprì la carica di poeta laureato e fu quindi, nel momento di maggior sviluppo dell'Impero britannico, il poeta ufficiale di corte della regina Vittoria. Il suo poema *Sir Galahad* (1842) si presenta come un monologo del cavaliere, che con orgoglio e (a differenza del Galahad di William Morris) senza alcun dubbio proclama la sua castità, la sua fede e la sua decisa ricerca del Graal, che in quest'opera non è ancora messa in discussione. Un po' più tardi, tuttavia, nel più importante sviluppo del tema del Graal da parte di Tennyson, la situazione cambiò drasticamente. Tra il 1859 e il 1885 Tennyson pubblicò i suoi *Idylls of the King* (*Gli idilli del re*), un ciclo di dodici lunghi poemi narrativi su re Artù e la sua Tavola Rotonda, fra cui *The Holy Grail*, che racconta la storia del Graal dal punto di vista di Perceval, il quale appare qui con la forma del nome di Malory, «Percivale».

Il tema del Graal sembra aver rappresentato per Tennyson una grande sfida che egli prese seriamente e che perseguì per molti anni.

Il primo volume degli *Idilli del re* fu pubblicato nel 1859, dopo di che passò quasi un decennio prima che Tennyson trovasse un modo di trattare il materiale che lo soddisfacesse, e fu solo nel 1868 che riuscì a continuare il suo lavoro sugli *Idilli* con il poema centrale sul Graal. Secondo sua moglie Emily Tennyson, il fatto che non avesse abbandonato del tutto l'argomento era dovuto unicamente alla lunga insistenza di coloro che lo circondavano, in particolare la regina Vittoria, la principessa ereditaria e la stessa Emily.

The Holy Grail descrive una conversazione tra Percivale, che ha lasciato la corte di Artù e si è ritirato in un monastero, e un vecchio monaco di nome Ambrosius, il quale chiede a Percivale perché ha lasciato la Tavola Rotonda: forse una donna ha respinto il suo amore? No, è la risposta di Percivale, la visione del Graal lo ha allontanato, gli ha fatto detestare le vanità della corte e i cavalieri che corteggiano le dame invece di lottare per conquistare il cielo. Ambrosius chiede allora cosa sia esattamente il Graal e Percivale spiega dunque con passione che si tratta della coppa da cui il Salvatore bevve nell'Ultima Cena e che Giuseppe d'Arimatea portò a Glastonbury; lì il Graal rimase a lungo e curò ogni malattia. Tuttavia, il mondo alla fine divenne così peccaminoso che il Graal fu portato in cielo e scomparve. Il mondo sentì di nuovo parlare del Graal solo quando apparve in una visione a una giovane monaca, la sorella di Percivale. Questa, dopo il fallimento di un'appassionata storia d'amore, si era ritirata dietro le mura di un monastero e aveva digiunato e pregato così devotamente finché le fu concessa un'apparizione notturna del Graal. Ne parlò a Percivale, che, contagiato dal suo entusiasmo, si sforzò anche lui nel digiuno e nella preghiera per avere una visione del Graal e riuscì a sua volta a convincere gli altri cavalieri di Camelot a perseguire lo stesso obiettivo. Il più puro dei cavalieri della Tavola Rotonda, tuttavia, non era Percivale, ma Galahad. Per lui la monaca fece con i propri capelli una cintura per portare la spada, che decorò con un'immagine del Graal; quando mise la cintura a Galahad, gli rivelò il suo amore e lo mandò alla ricerca del Graal: lo conquistò completamente con la passione del suo sguardo, ed egli credette alla sua fede (and he believed in her belief). Galahad cercò allora di evocare una visione del Graal. A Camelot si trovava la «sedia perigliosa» (Siege perilous), creata da Merlino, sulla quale chiunque si sedesse si perdeva. Quando Galahad vi si accomodò, il Graal gli apparve in un fascio di luce abbagliante, velato da una nuvola luminosa, in mezzo a tuoni e schianti. Nessuno degli altri cavalieri presenti poté effettivamente vedere il Graal avvolto in quella nuvola, e così tutti fecero voto di uscire per un anno alla ricerca del Graal, finché non l'avessero visto proprio come la sorella di Percivale l'aveva visto nella sua cella del monastero. Mentre si svolgevano questi eventi, re Artù non era presente poiché era appena partito per punire lo stupro di una ragazza da parte di una banda di briganti. Al suo ritorno rimprovererò severamente i suoi cavalieri per il loro giuramento. Solo Galahad poteva affermare di aver visto il Graal; tutti gli altri, invece, avevano giurato di cercarlo proprio perché *non* lo avevano visto. Artù stabilì che la ricerca del Graal era appropriata per Galahad, e non per gli altri, ai cui occhi il Graal era sfuggito. Essi avrebbero seguito solo i fuochi fatui nella brughiera, mentre nessuno sarebbe rimasto a Camelot per aiutare i deboli e punire i malfattori. Ma i giuramenti erano stati fatti, e così i cavalieri si misero alla ricerca del Graal, e mentre il gruppo partiva Ginevra cavalcava accanto a Lancillotto, lamentandosi che quella follia era la punizione per i loro peccati.

A questo punto il tono della narrazione di Percivale cambia. All'inizio, secondo quanto racconta ad Ambrosius, era ancora tutto pervaso dall'entusiasmo della partenza, ma ben presto gli sovvennero le cupe parole di Artù, secondo le quali i cavalieri stavano solo inseguendo dei fuochi fatui. Percivale descrive al suo interlocutore quattro visioni surreali in cui quasi ottiene una casa, l'amore e il riconoscimento, ma ognuna delle quali si dissolve all'ultimo momento in immagini di declino. Dopo queste visioni Percivale incontrò un santo eremita che gli fece capire che gli mancava la vera umiltà. Poco dopo anche Galahad arrivò alla cappella dell'eremita che celebrò la santa messa con i due cavalieri. Percivale percepì solo una funzione normale; Galahad, invece, dichiarò dopo la fine della celebrazione che durante la messa aveva visto il Santo Graal scendere sull'altare e il volto ardente di un bambino entrare nell'ostia. Aggiunse inoltre che il Graal gli era sempre visibile da quando la sorella di Percivale gli aveva insegnato a vederlo; da esso traeva la forza per le sue gesta eroiche.

Il giorno dopo Galahad cavalcò fino a raggiungere il mare. Percivale cercò di tenere il passo, ma rimase indietro e poté solo guardare da lontano Galahad mentre veniva rapito dal mondo degli uomini e condotto nella Nuova Gerusalemme da una nave, nel mezzo di una terribile tempesta insieme al Graal, splendente di rosso sangue. A questo punto Ambrosius interrompe il racconto di Percivale. Con alcune domande scettiche, il monaco riconduce il cavaliere del Graal dalle sue visioni al piano della vita umana e gli fa ammettere che nella sua ricerca non ha visto solo fantasmi e il Graal; con imbarazzo Percivale ricorda che a un certo punto della sua ricerca incontrò anche un vecchio amore giovanile, una donna nel frattempo divenuta una ricca vedova che accolse Percivale fra le sue braccia. Sarebbe quasi rimasto con lei rinunciando alla ricerca del Graal se una notte i suoi giuramenti non lo avessero ravveduto e spinto a continuare la ricerca, dissolto nell'odio di sé e nelle lacrime. Solo dopo aver incontrato Galahad, Percivale dimenticò di nuovo quell'amore. Qui il monaco Ambrosius interrompe ancora la narrazione di Percivale: con parole gentili lo critica, rammaricandosi di quanto sia un peccato che Percivale abbia allontanato nuovamente il suo amore, che anche lui, nonostante fosse un monaco, avrebbe desiderato. Poi Ambrosius gli chiede della sorte degli altri cavalieri della Tavola Rotonda, e Percivale racconta dei destini dei cavalieri come loro stessi li avevano riportati. Lancillotto era ricaduto nella follia, dilaniato dal suo amore adultero per Ginevra, la moglie di Artù, e per questa sofferenza era diventato indifferente al Graal.

Sir Bors fu incarcerato dai pagani, ma nella sua cella ebbe una visione del Graal. Camelot era in rovina quando Percivale tornò. Solo alcuni dei cavalieri partiti alla ricerca del Graal erano tornati, esausti ed emaciati. Gauvain era l'unico a essersela passata bene: in una tenda piena di belle dame. Percivale descrive in modo particolarmente dettagliato il racconto che Lancillotto fece del suo destino: impazzito per amore e per senso di colpa, arrivò a un castello nella cui torre il Graal era venerato dagli angeli. Nella sua frenesia, irruppe nella stanza dove si trovava il Graal. Lì fu abbagliato dalla luce intensa e dalla vista degli angeli, quasi bruciato dal calore incandescente, e subito svenne; ma per un momento credette di vedere il Graal coperto da un panno tra gli angeli. Quando i cavalieri furono giunti alla fine dei loro racconti, Gauvain commentò bruscamente che d'ora in avanti non avrebbe più creduto alle estasi delle fanciulle sante, e incolpò Percivale e sua sorella di aver fatto impazzire i cavalieri della Tavola Rotonda. Artù rimproverò allora Gauvain per la sua mancanza di fede, dato che ogni cavaliere aveva riferito la verità secondo ciò che aveva visto; ma il re rimproverò anche i suoi cavalieri, ricordando loro che aveva profetizzato che la maggior parte di essi avrebbe seguito solo i fuochi fatui. Deplorava i cavalieri che si erano persi e che ora non avrebbero più combattuto per la giustizia nel mondo; e nel suo discorso finale sottolineò il suo dovere di re di non partire per qualsivoglia ricerca ma di proteggere il suo paese. La conversazione di Percivale con Ambrosius termina a questo punto, e con essa il poema di Tennyson. Con le sue ultime parole Percivale ammette di non aver capito tutto ciò che re Artù voleva dire.

Questo riassunto del lungo poema di Tennyson rende forse chiaro quanto sia ambivalente la sua versione della storia del Graal. Da un lato, le visioni del Graal sono soggettivamente vere esperienze religiose per i cavalieri in ricerca; Tennyson fa dire esplicitamente questo al suo re Artù quando rimprovera Gauvain per il suo disprezzo della ricerca del Graal. Su un altro livello, tuttavia, Tennyson intreccia sistematicamente la ricerca del Graal con l'erotismo represso. Si comincia con la scintilla di questa ricerca: la prima visione del Graal viene assegnata a una giovane monaca che si è rifugiata nella cella di un monastero dopo essersi innamorata appassionatamente di un uomo che l'ha respinta. Questo retroscena potrebbe suggerire – senza che Tennyson lo dichiari esplicitamente – che la visione del Graal della monaca sia in definitiva una sublimazione del suo desiderio erotico represso. Se questo è il caso, tuttavia, ciò ha enormi conseguenze per l'intera ricerca del Graal dei cavalieri arturiani: perché il desiderio del Graal è risvegliato – prima in Percivale e poi negli altri cavalieri della Tavola Rotonda – dalla monaca, e se la sua visione del Graal è solo una conseguenza del desiderio sessuale represso, allora lo stesso vale per l'intera ricerca del Graal.

Un'interpretazione dell'anelito al Graal come sublimazione di un desiderio erotico represso è suggerita anche da altri dettagli del poema. Per esempio, la scena in cui l'unico cercatore del Graal che veramente raggiunge la visione sviluppa una passione altamente erotizzata per il Graal: Galahad riceve una cintura per la spada dalla giovane monaca, fatta con i suoi stessi capelli, lei gli rivela il suo amore e la sua ammirazione e lo manda alla ricerca del Graal – e ciò che alla fine convince Galahad a intraprendere questa ricerca è la passione contenuta nello sguardo che la giovane donna e il cavaliere si scambiano. Galahad si sta innamorando del Graal o della messaggera del Graal? Qui può anche essere significativo il contesto in cui i cavalieri della Tavola Rotonda giurano collettivamente di intraprendere la ricerca del Graal: prima di prestare il loro giuramento tutti hanno una visione, dopo che una giovane donna con le braccia graffiate e i vestiti strappati è arrivata a Camelot e ha raccontato a re Artù di essere stata violentata. Le conseguenze sono decisamente ambivalenti: Artù, il sovrano con i piedi per terra, profondamente critico nei confronti della ricerca del Graal, parte con alcuni uomini per consegnare i criminali alla giustizia; i cavalieri della Tavola Rotonda, invece, come la giovane monaca, sono perseguitati da una visione e partono alla ricerca del Graal. La tensione dell'intreccio tra la sessualità e la ricerca del Graal attraversa poi tutto il seguito del poema. Lancillotto in definitiva non sta cercando il Graal, ma un modo per affrontare i suoi sentimenti verso la regina Ginevra. Gauvain abbandona presto l'impresa e trova non solo una ragazza, ma un'intera tenda piena di compagne di gioco. Persino Percivale si avvicina alla felicità più con un amore di gioventù che con il Graal – e poi getta via quella felicità per il Graal, che non raggiungerà mai. Il vecchio monaco Ambrosius rimprovera Percivale per questa scelta e mette l'amore tra due persone al di sopra della ricerca della reliquia della Passione. Allo stesso modo, all'inizio e alla fine della trama Artù condanna la ricerca del Graal come un'impresa che sarebbe stata distruttiva per la schiera dei cavalieri, che sarebbero stati distolti dalla propria umana missione: assicurare la pace e la giustizia nella società. Nel poema di Tennyson la brama del Graal appare quindi prima di tutto come qualcosa che mette le persone a rischio di trascurare proprio ciò che le porterebbe effettivamente alla felicità umana.

Questo scetticismo verso il Graal è un importante filo conduttore della prima ricezione inglese del Graal, dovuta forse al generale clima di cambiamento dell'epoca. Nel 1859, per esempio, fu pubblicata la prima edizione dell'opera epocale di Charles Darwin *L'origine delle specie*, e una voce di diario attesta una visita di Darwin a Tennyson appena un mese prima che quest'ultimo scrivesse il suo poema *The Holy Grail*, in sole due settimane, dopo anni di esitazione. Un'altra ragione dell'ambivalenza britannica verso il Graal può risiedere nella situazione confessionale dell'Inghilterra. Da quando la Chiesa inglese si era separata dalla Chiesa cattolica sotto Enrico VIII nel XVI secolo, la Chiesa di stato inglese, la Chiesa d'Inghilterra, era protestante. Con l'applicazione della Riforma in Inghilterra la dottrina della transustanziazione, cioè la trasformazione del pane e del vino nel corpo e nel sangue di Cristo al sacrificio della messa, divenne problematica. Tuttavia, nel racconto della storia del Graal di sir Thomas Malory, che è decisivo per la sua ricezione inglese, era proprio la connessione del Graal con la transustanziazione a essere centrale; Tennyson forse riprende il tema, facendo dire a Galahad di aver visto il volto di un bambino entrare nell'ostia durante il sacrificio della messa. Nel contesto britannico il Graal è per questo motivo connotato come cattolico – ed era quindi potenzialmente discutibile nell'ambiente protestante contemporaneo del XIX secolo. I suoi attributi cattolici erano così evidenti che potevano diventare significativi anche in contesti politici. Quando nel 1834 l'edificio del Parlamento di Londra fu ricostruito dopo un devastante incendio, l'artista William Dyce fu incaricato di decorare il camerino della regina nella Camera dei Lord con un affresco basato sulla materia arturiana di Malory (fig. 3). Il progetto originale prevedeva un affresco del Graal. Alla fine, però, Dyce si rifiutò di raffigurare il Graal in una stanza che sarebbe servita al cerimoniale ufficiale: la regina, in qualità di capo della Chiesa protestante d'Inghilterra, non poteva indossare i paramenti per le più importanti occasioni di Stato di fronte a un simbolo cattolico.

Tali riserve non impedivano un'accoglienza entusiasta della materia del Graal negli ambienti privati, anche in contesti rappresentativi. L'esempio più rilevante sono gli arazzi disegnati e prodotti nell'ultimo decennio dell'Ottocento da Edward Burne-Jones e William Morris per la sala da pranzo di Stanmore Hall vicino a Londra.

Senza seguire in dettaglio nessuna delle più importanti fonti letterarie, la serie mostra in sei scene a grandezza naturale i punti di svolta centrali nella ricerca del Graal: l'apparizione di una figura femminile alla corte di Artù, che chiama i cavalieri della Tavola Rotonda per cercare il Graal; la partenza dei cavalieri; Gauvain ed Ewain, a cui un angelo nega l'accesso alla cappella del Graal; Lancillotto, a cui un angelo nega parimenti l'accesso alla cappella; una nave all'ancora; e infine la scoperta del Graal. Quest'ultimo arazzo occupa tutta la larghezza della stanza a cui era destinato. Al margine sinistro della scena ci sono sir Bors e Percivale, che (come nell'opera di Tennyson) possono vedere il Graal solo da lontano: tre grandi angeli, uno dei quali tiene la lancia sanguinante, bloccano il

FIG. 3. Il «Ritrovamento del Santo Graal»: arazzo appeso nella sua collocazione originale a Stanmore Hall (1890 ca.).

loro accesso alla cappella del Graal, che si trova sul bordo destro dell'immagine. Nella cappella tre angeli si inginocchiano dietro un tavolo su cui è posto il Graal, mentre Galahad si inginocchia alla porta e adora il Graal da vicino. Sopra il Graal c'è l'immagine dello Spirito Santo, raffigurato come una nuvola rossastra da cui piovono gocce di sangue nel calice: è così che è contenuta nell'immagine la transustanziazione, che aveva reso problematica la rappresentazione del soggetto nel palazzo del Parlamento.

Più esposto, ma anche più sovversivo, fu il trattamento del soggetto negli affreschi della biblioteca della Oxford Union Society. La Oxford Union è un circolo di discussione fondato già nel 1823, i cui membri sono reclutati principalmente tra gli studenti dell'Università di Oxford; per molti futuri uomini politici britannici la partecipazione ai dibattiti della Oxford Union ebbe un'influenza duratura sul piano formativo che permane tuttora. Su iniziativa di John Ruskin la biblioteca di questo circolo fu decorata tra il 1857 e il 1859 con affreschi su temi della letteratura arturiana da Dante Gabriel Rossetti, William

Morris e Edward Burne-Jones, tra gli altri. Il Graal appare qui nell'opera intitolata *La visione di Lancillotto, il Santo Graal*. Questa parte del ciclo di immagini è opera di Rossetti, un artista di notevole importanza per la storia dell'arte inglese in quanto fondatore della Confraternita preraffaellita. L'affresco di grande formato mostra sul lato destro Lancillotto addormentato e sognante. Sul lato opposto c'è una figura di angelo inginocchiato che tiene la coppa del Graal, e tra Lancillotto e l'angelo sta l'amata Ginevra, che è raffigurata molto più alta dell'angelo. Entrambi, sia l'angelo che la regina, hanno lo sguardo fisso sul cavaliere addormentato: l'angelo pietosamente rassegnato, Ginevra in ansiosa attesa. Dietro di lei c'è un albero di mele, motivo che allude alla storia biblica della caduta dell'uomo e associa Ginevra a Eva come tentatrice di Adamo.

L'amante di Lancillotto è la figura centrale della composizione e domina il dipinto. La pittura di Rossetti non si concentra quindi sul desiderio del Graal, ma sul desiderio dell'amore umano. Qualche anno dopo Rossetti concepì il progetto (mai realizzato) di scrivere un poema su Lancillotto; il tema di quest'opera doveva affermare che l'amore di Ginevra era preferibile alla ricerca del Graal. La composizione con cui il pittore contribuì al progetto della Oxford Union Library sembra anticipare questo giudizio. Allo stesso modo si rispecchiano in questa immagine l'elaborazione poetica di Morris (precedente) della storia di sir Galahad e quella di Tennyson (successiva) della ricerca del Graal da parte di Percivale e dei suoi compagni, come accennato sopra. Il Graal inglese dell'epoca vittoriana è un oggetto del desiderio, ma rimane ambivalente. La caccia al Graal ultraterreno è sempre sfidata dal desiderio di un amore terreno tra due persone viventi, e quale dei due sia alla fine l'obiettivo più alto rimane in sospeso.

2. Il Graal arriva a Bayreuth

Come nel mondo di lingua inglese, anche in Germania l'interesse per il Graal scemò dall'inizio del XVI secolo. Nelle regioni protestanti il simbolismo eucaristico a esso legato era diventato problematico e il Rinascimento e l'Illuminismo consideravano il Medioevo come l'epitome di un'epoca oscura da superare, influenzando così anche la percezione del mito del Graal, soprattutto nella forma profondamente cristianizzata che aveva largamente prevalso dopo Chrétien. Fu solo alla metà del XVIII secolo che l'interesse per il Graal cominciò lentamente a risvegliarsi. Nel 1784 il *Parzival* di Wolfram von Eschenbach fu reso di nuovo accessibile in un'edizione moderna e poté così influenzare il Romanticismo tedesco che avrebbe iniziato a svilupparsi qualche anno dopo. Nel 1801 Ludwig Tieck, autore preromantico, progettò una propria edizione del testo, anche se non la realizzò mai. La ricezione del Graal in Germania, come in Inghilterra, ebbe un vero slancio negli anni Trenta. Nel 1833 Karl Lachmann pubblicò l'edizione del *Parzival* di Wolfram, che è ancora oggi fondamentale. Sulla base di questa edizione *Parzival* fu presto tradotto in nuovo alto tedesco per un pubblico più ampio; ma fu la traduzione in versi di Karl Simrock (1842) che ottenne il maggiore impatto, pur non potendo eguagliare quella del dramma musicale di Bayreuth, che fu prodotto solo poco più tardi: la ricezione tedesca del Graal dalla metà del XIX secolo in poi è infatti in gran parte una ricezione wagneriana.

Richard Wagner (1813-1883) fu uno dei compositori tedeschi più influenti del XIX secolo; e con la sua concezione dell'opera come opera d'arte totale rinnovò le basi della musica contemporanea. La sua composizione più estesa, *L'anello del Nibelungo*, rappresentata per la prima volta nel 1876, celebra in modo evidente un medievalismo romantico che intreccia la letteratura tedesca medievale con le saghe eroiche nordiche. In questo, e nel suo antisemitismo aggressivo, Wagner era un figlio del suo tempo. Il compositore si rivolse al tema del Graal in due delle sue opere, *Lohengrin* (1845-1848) e *Parsifal* (1877-1882), il suo ultimo dramma musicale. Lui stesso definì quest'opera un *Bühnenweihfestspiel*, un «festival scenico sacro», il che rende evidente la dimensione quasi religiosa che le attribuiva. Wagner voleva che il *Parsifal* fosse rappresentato esclusivamente nel suo teatro del festival di Bayreuth, ma questa prescrizione non viene osservata per le odierne repliche dell'opera, che va ancora regolarmente in scena. Entrambe le opere del Graal si dimostrarono un successo straordinario di pubblico, con il risultato che l'immagine del Graal delle opere di Wagner oscurò la concezione delle elaborazioni medievali del tema del Graal nel mondo di lingua tedesca per decenni a venire.

La prima esperienza del compositore con il soggetto risale al 1845, quando passò il suo tempo a leggere la letteratura pertinente durante un soggiorno in un luogo di cura. Questa familiarità con il tema portò inizialmente alla composizione di *Lohengrin*. Le fonti più importanti per Wagner furono il *Parzival* di Wolfram von Eschenbach, in cui compare il cavaliere del Graal Loherangrin come figlio di Parzival, e il romanzo in versi in medio-alto tedesco *Lohengrin* del 1280; tuttavia, egli non seguì pedissequamente nessuno dei due.

L'opera di Wagner inizia con l'ingresso del re Enrico I, primo re del «regno tedesco», che vuole convincere i nobili del Brabante ad appoggiarlo in una campagna contro gli ungheresi così da difendere insieme l'onore del regno. Il re cerca anche di risolvere una disputa di successione nella casata dei duchi del Brabante: Federico di Telramund accusa la sua pupilla Elsa di Brabante di fratricidio e rivendica per sé il dominio del Brabante. Enrico I ordina un giudizio divino, ma nessun cavaliere è disposto a prendere le parti di Elsa. Quando Elsa invoca Dio per un salvatore, appare una barca trainata da un cigno che trasporta un cavaliere sconosciuto in un'armatura splendente. Quest'ultimo combatte Federico di Telramund e lo sconfigge, ma non lo uccide; così il giudizio di Dio ha provato l'innocenza di Elsa. Questa diventa la moglie del cavaliere, che le ha però ordinato di non chiedergli mai il suo nome o da dove venga. Tuttavia, Ortrud, la moglie dello sconfitto Federico, lo convince che è stato battuto solo con l'aiuto di un incantesimo. Insieme persuadono Elsa a violare il divieto di chiedere il nome del Cavaliere del Cigno. In un discorso davanti al re, lo straniero rivela il suo nome e le sue origini: è Lohengrin, il figlio del re del Graal Parzival, e viene dal castello del Graal di Montsalvat. Il Graal, che è custodito lì, è descritto come un vaso portato sulla terra dagli angeli e il cui potere è rinnovato ogni anno da una colomba che scende dal cielo. Il Graal dà forza ai suoi cavalieri, tiene la morte lontana da loro e li manda in terre lontane a combattere per la giustizia. Tuttavia, la benedizione del Graal è così «nobile» che un cavaliere del Graal non può dimorare tra gli uomini comuni una volta riconosciuto; e poiché il Graal ha mandato Lohengrin, ora che è stata posta la domanda proibita sul suo nome e sulla sua origine, non può più restare. Pertanto, la barca trainata da un cigno ritorna per portare via Lohengrin. Quando Ortrud vede il cigno lo riconosce ed esclama che si tratta di Gottfried, il vero erede di Brabante, che lei stessa ha trasformato in un cigno. Lohengrin pronuncia allora una preghiera; la colomba del Graal appare e il cigno riprende la sua forma umana: il fratello di Elsa che si credeva morto. Grazie all'intervento del Graal, il Brabante ha di nuovo un capo. Ortrud ed Elsa muoiono, mentre Lohengrin viene rapito nel castello del Graal, lasciando solo un corno, una spada e un anello, che serviranno al nuovo duca e capo come ricordo del Cavaliere del Cigno e come garanzia del suo potere.

La legittimità del potere mondano viene così ripristinata e assicurata in modo permanente da un'autorità ultraterrena. Questa autorità è fondamentalmente lontana e inaccessibile, ma può intervenire nel mondo umano attraverso i cavalieri del Graal quando è in difficoltà. Se si considerano le implicazioni politiche di una tale visione del mondo, non sorprende che il *Lohengrin* sia stato accolto con entusiasmo da Adolf Hitler qualche decennio più tardi; nel *Mein Kampf* egli annotò che la visione di quest'opera gli aveva lasciato una profonda impressione quando aveva 12 anni e aveva risvegliato in lui un entusiasmo sconfinato per Wagner. Allo stesso tempo, *Lohengrin* fu l'opera più parodiata di Wagner, tanto che la prima caricatura, di Johann Nestroy, risale al 1859. Nel complesso, tuttavia, l'opera è considerata il dramma musicale più popolare di Wagner.

Il materiale per il suo *Bühnenweihfestspiel Parsifal* fu tratto da Wagner principalmente dal *Parzival* di Wolfram von Eschenbach. Anche in questo caso, però, Wagner non considerò la poesia medievale come un modello vincolante, anzi era fermamente convinto di comprendere il materiale del Graal meglio del suo modello. In una lettera del 30 maggio 1859, per esempio, sottolineò con enfasi che Wolfram von Eschenbach non aveva nemmeno lontanamente afferrato il contenuto reale della leggenda del Graal e accusò il poeta medievale di immaturità.

Anche la particolare grafia che Wagner usa per il nome dell'eroe è da ricondurre al fatto che egli riteneva di aver compreso meglio di Wolfram il racconto di Parzival. La grafia «Parsifal» si basa su un'interpretazione contemporanea, ormai obsoleta, che voleva che il nome del cavaliere del Graal fosse inteso in arabo come *fal parsi* («porta pura»). Wagner sottolinea l'importanza del presunto gioco di parole per la sua interpretazione della narrazione facendolo spiegare esplicitamente dal personaggio di Kundry nel secondo atto.

L'azione inizia in montagna, ai piedi del castello del Graal di Montsalvat, dove sono conservati due oggetti: la lancia del Graal e il Graal stesso. Corrispondente del castello del Graal è il giardino dello stregone Klingsor. Lo stesso Klingsor una volta aveva lottato per il Graal sulla via della santità cristiana, ma non riuscì a raggiungerlo perché si trovò incapace di superare il suo istinto sessuale; ricorse allora ai mezzi drastici dell'autocastrazione, che a sua volta fu condannata come un'azione sbagliata e gli rese definitivamente impossibile l'accesso al Graal. Per vendicarsi, creò dunque un giardino magico pieno di donne seducenti che cercano di dissuadere i cavalieri del Graal dal loro cammino e troppo spesso ci riescono. Quando Amfortas, il figlio del re del Graal Titurel, cercò di rimuovere questa trappola con l'aiuto della Santa Lancia, egli stesso cedette al fascino di una delle donne del giardino magico; così Klingsor poté strappargli la lancia e ferirlo al fianco. Poiché questa ferita non guarisce, Amfortas, ormai egli stesso re del Graal, veglia su di esso con un dolore continuo e aspetta un «puro sciocco» che sia «sapiente per compassione» e che solo può salvarlo. Parsifal raggiunge il boschetto ai piedi del castello del Graal proprio mentre Amfortas sta facendo il bagno in un lago. Nella speranza che Parsifal sia il «puro sciocco» che il castello del Graal attende, il cavaliere del Graal Gurnemanz lo porta al castello; tuttavia, l'inesperto Parsifal non riesce a fare la domanda giusta al momento decisivo. Amfortas non ha così la sua redenzione e Parsifal viene buttato fuori. Proseguendo la sua strada Parsifal arriva quindi nel giardino di Klingsor, il quale vuole distruggerlo e per far questo si serve dell'ambivalente seduttrice Kundry. Questa Kundry è vittima di una maledizione da quando ha deriso il Salvatore sulla croce, ed è ora divisa tra il mondo peccaminoso e sensuale di Klingsor e il mondo puro del Graal: da un lato, non può vincere la sua peccaminosità e il potere dello stregone che la comanda, ma dall'altro lotta per la redenzione. Così serve Klingsor sotto costrizione, ma ogni volta che ne ha l'opportunità espia la sua colpa rendendo servizio ai cavalieri del Graal;

80

per esempio, intraprende lunghi viaggi alla ricerca di una medicina che possa alleviare le sofferenze di Amfortas. Il cavaliere del Graal Gurnemanz spiega il suo comportamento dicendo che forse deve ancora espiare le colpe delle vite precedenti. Kundry troverà la redenzione finale, tuttavia, solo quando incontrerà un uomo che sia in grado di resistere alle sue arti nonostante i suoi tentativi di seduzione – e questi è proprio Parsifal. Costretta dai poteri magici di Klingsor, Kundry cerca di irretire Parsifal, portandogli la notizia della morte di sua madre causata dal dolore per la partenza del figlio, e mentre consola il giovane gli dà un bacio, che però ha conseguenze di vasta portata, poiché Parsifal attraverso di esso acquisisce conoscenza: ora comprende la sofferenza di Amfortas e il desiderio del Graal di non essere più in mani peccaminose. Così il tentativo di seduzione di Kundry fallisce e Parsifal la respinge. Lei ora lo riconosce come l'uomo che può redimerla e gli chiede il suo amore (fisico); ma lui la allontana con forza e le offre la redenzione se gli mostrerà la strada per Amfortas, facendola infuriare così tanto che lo maledice condannandolo a peregrinazioni erranti; quindi chiama Klingsor, il quale cerca di uccidere Parsifal con la Santa Lancia. Ma quando Klingsor gli scaglia contro l'arma, questa si arresta a mezz'aria e rimane sospesa sopra la testa di Parsifal, che la prende e si fa il segno della croce con essa: così il giardino di Klingsor appassisce e il suo castello sprofonda in un terremoto. Segue un salto temporale.

La scena successiva si svolge molti anni dopo questi eventi. Parsifal ha apparentemente cercato a lungo e invano il castello del Graal finché non l'ha ritrovato. Nel frattempo, il dolore costante aveva spinto il Re del Graal Amfortas a un rimedio drastico: per poter finalmente morire, aveva smesso di portare il Graal fuori dalla sua teca per il rituale – perché finché si vede il Graal, non si può morire. Tutta la comunità dei cavalieri del Graal è invecchiata e ha perso la sua forza. Il padre di Amfortas, Titurel, è addirittura morto; si sta preparando il suo funerale e, per questo rito, Amfortas, che si sente profondamente in colpa, vuole mostrare di nuovo il Graal. Ora, però, Parsifal incontra il cavaliere del Graal Gurnemanz e la pentita Kundry, che si è appena svegliata da un sonno profondo. Kundry lava i piedi di Parsifal e Gurnemanz lava la sua testa, assolvendo Parsifal da ogni colpa; poi lo consacrano re. Parsifal attinge allora dell'acqua e battezza Kundry. Segue un discorso sulla redenzione dell'uomo attraverso la morte di Gesù sulla croce, prima che Kundry e Gurnemanz accompagnino Parsifal al castello del Graal. Lì entrano nel mezzo di una rivolta, proprio mentre Amfortas esige che i cavalieri del Graal lo uccidano e in tal modo lo liberino. Parsifal, tuttavia, guarisce la ferita che tormenta Amfortas toccando il suo fianco con la punta della Santa Lancia; allo stesso tempo gli annuncia che ora è sollevato dal suo incarico e che Parsifal lo sostituirà. Tutti guardano estasiati la lancia insanguinata. Parsifal prende il Graal dalla teca e si inginocchia per guardarlo; brilla nelle sue mani. Una colomba bianca scende sulla scena fino a librarsi sulla testa di Parsifal. Il coro di tutti quelli che sono lì riuniti chiude l'opera con le parole: «la redenzione è arrivata al Redentore». Di fronte a questo miracolo, Kundry muore, Amfortas e Gurnemanz rendono omaggio al nuovo re del Graal e Parsifal benedice i cavalieri riuniti con il Graal.

Wagner descrive il Graal nel *Parsifal* come il calice che Gesù usò nell'Ultima Cena e che raccolse il sangue che scorreva dalla ferita del suo costato sulla croce; equipara la lancia del Graal alla lancia di Longino, che inflisse la ferita a Gesù. Il castello del Graal nella versione di Wagner può essere trovato solo da una persona libera dal peccato e ospita una comunità di cavalieri che ricevono una lunga vita in una dimensione soprannaturale attraverso i poteri miracolosi del Graal. La descrizione della cerimonia del Graal nel castello, attraverso la quale questa forza vitale viene dispensata ai cavalieri del Graal, segue da vicino il rituale della messa. L'associazione tra la cerimonia del Graal e la messa fu ulteriormente rafforzata dalla scenografia all'atto della rappresentazione, poiché l'interno del castello del Graal alla prima del *Parsifal* fu progettato nello stile dell'interno della cattedrale di Siena. La rappresentazione del Graal di Wagner differisce quindi in elementi essenziali da quella del *Parzival* di Wolfram: nell'opera di Wolfram il Graal era una pietra che forniva abbondanza di nutrimento, ed egli evitava accuratamente qualsiasi connessione con il rito cristiano. Mentre Wolfram von Eschenbach demitizzava così il Graal, spogliandolo del suo concreto significato religioso, Wagner ritornava all'interpretazione religiosa del Graal come recipiente eucaristico e della lancia del Graal come lancia di Longino, secondo la versione di Robert de Boron.

Tuttavia, il nuovo significato religioso che viene attribuito al Graal non corrisponde al contenuto cristiano originario della tradizione. Nella strana formula finale dell'opera, per esempio, che recita di come «la redenzione sia concessa al Redentore», si è vista da più parti una ricezione del pensiero gnostico. L'influenza della filosofia di Schopenhauer è stata individuata nel modo specifico in cui Wagner tratta il tema della pietà, così come nel rifiuto estremo della vita sessuale espresso nell'opera. Anche il ritratto del personaggio di Kundry è particolarmente degno di nota, perché la sua rappresentazione riprende esplicitamente il concetto della reincarnazione. La credenza nella reincarnazione, benché incompatibile con il dogma delle Chiese ufficiali, si era affermata in Europa occidentale a partire dal XIX secolo come una componente stabile della religiosità contemporanea e continua ad avere un ruolo centrale nella ricezione del mito del Graal anche in tempi più recenti, su cui si tornerà più avanti, trattando per esempio delle elaborazioni del tema del Graal di Kate Mosse e Marion Zimmer Bradley. Il *Parsifal* di Wagner, a prima vista un'opera cristiana estremamente conservatrice, si rivela così, a un esame più attento, uno specchio di più ampie correnti filosofico-religiose del suo tempo, che riflette anche sviluppi religiosi alternativi. Nel caso di Wagner, questo fatto è interessante anche perché nei suoi scritti sull'arte egli attribuiva esplicitamente all'arte stessa una funzione religiosa che egli riteneva le Chiese contemporanee non avessero più: Wagner sosteneva che nella sua epoca fosse proprio l'arte ad avere il compito di rappresentare i simboli del mito e di rendere comprensibile al pubblico il significato di questi simboli. In una tale visione, l'arte diventa lo strumento principale di espressione della religione ed è essa stessa profondamente religiosa, persino fondante la religione. In questa prospettiva in particolare il suo *Parsifal* avrebbe avuto un esito significativo.

A Bayreuth, nel luogo stesso in cui Wagner componeva, il *Parsifal* fu accolto immediatamente dal cosiddetto Circolo di Bayreuth e dalla sua rivista «Bayreuther Blätter» come un'opera religiosa o quasi-religiosa, con un tenore di fondo largamente popolare. La gamma di approcci al mito del Graal che vi sono ricompresi andava da un cristianesimo «tedesco» o «ariano», che si voleva epurare da tutto ciò che era «ebreo» (per cui si arrivava persino a interpretare Gesù non come un ebreo, ma come un ariano), a un'interpretazione del Graal come un vaso sacro del Mesolitico. Nella mente del re bavarese Ludovico II, l'elaborazione wagneriana del mito del Graal era combinata con un'ideologia di regalità mitica retrograda e condannata al fallimento; Ludovico fece mettere in scena questa ideologia negli ambienti a lui più vicini, facendo decorare le stanze centrali del suo «castello da fiaba» di Neuschwanstein con scene e motivi del *Parsifal* e della versione medievale della saga di *Lohengrin*. Negli anni precedenti la Seconda guerra mondiale, un gran numero di autori di romanzi popolari e molti movimenti occulti, neopagani e cristiano-tedeschi adottarono il tema, utilizzando il Graal come proiezione delle rispettive concezioni ideologiche.

Ricordiamo qui come esempio solo un autore particolarmente influente a cavallo tra XIX e XX secolo, ovvero Rudolf Steiner.

Rudolf Steiner (1861-1925) si dedicò intensamente alla teosofia tedesca per molto tempo. La Società Teosofica, che ebbe un ruolo centrale nello sviluppo dell'occultismo moderno, fu fondata a New York nel 1875 da Helena Petrovna Blavatsky e Henry Steel Olcott, tra gli altri. Al più tardi negli anni Ottanta dell'Ottocento la teosofia aveva preso piede anche in Germania. Steiner teneva conferenze su temi teosofici dal 1900 e divenne segretario generale della sezione tedesca della Società Teosofica di Adyar nel 1902. Tuttavia, era principalmente interessato a una spiritualità orientata all'Occidente, mentre la corrente principale della teosofia internazionale era più orientata all'India. Le differenze alla fine divennero così grandi che, nel 1912, Steiner si staccò dalla Società Teosofica e fondò la Società Antroposofica. Oggi le scuole Waldorf fondate da Steiner sono probabilmente la sua eredità più conosciuta; è meno noto che egli si occupò anche intensamente del mito del Graal.

L'interesse di Steiner per il Graal fu in origine fortemente influenzato dall'opera di Wagner, come è tipico della ricezione tedesca del Graal ai suoi tempi. Nelle prime conferenze sul Graal Steiner si occupò dell'interpretazione delle opere di Wagner su questa materia, partendo dal presupposto che esse potessero servire come chiave per elaborare il nucleo reale delle narrazioni di Lohengrin e Parzival. Come già per Wagner stesso, i testi originali del Graal medievale passano in secondo piano rispetto al dramma musicale di Bayreuth. Su questa base, Steiner interpretò la figura di Lohengrin in una conferenza del 1905 come un eroe culturale mandato dal Graal, che aveva avviato il processo di fondazione medievale delle città e quindi un progresso essenziale nella storia del mondo.

Il Graal diventa così un catalizzatore simbolico per l'avanzamento dell'umanità. Nella sua vastissima opera Steiner trattò ripetutamente il tema del Graal e scelse approcci molto diversi, anche altamente metaforici. Almeno alcune delle sue interpretazioni del mito del Graal suggeriscono tuttavia una reale esistenza di entità soprannaturali (i «grandi iniziati», gli «arcangeli», ecc.) che intervengono nei destini dell'umanità e determinano salti di qualità essenziali nello sviluppo umano. In una conferenza tenuta nel 1910 Steiner individuò la conquista storica dei Celti nell'aver ispirato un cristianesimo esoterico sotto la guida di un «arcangelo», che avrebbe continuato a maturare grazie ai «segreti del Santo Graal».

In un'altra conferenza, del 1922, Steiner trattò di come, secondo la visione medievale, persone particolarmente eccezionali fossero nominate custodi del Santo Graal dopo la loro morte; il contesto della conferenza rivela chiaramente che Steiner considerava la (presunta) «chiaroveggenza atavica» medievale alla base di questa visione come superiore alla moderna conoscenza scientifica. In una conversazione con la contessa Johanna Keyserlingk, si dice che Steiner abbia persino riconosciuto esplicitamente la reale esistenza del castello del Graal nel mondo «etereo», affermando che con una formazione occulta appropriata fosse possibile raggiungerlo spiritualmente.

Nel quadro della religiosità alternativa dell'opera di Steiner il significato religioso del Graal rinasce dunque in un senso sorprendentemente concreto. In questo processo l'universo soprannaturale del Graal acquisisce un grado di realtà ontologica che non era più parte di un'interpretazione spirituale del mondo dai tempi della ricostruzione del mito celtico; dopotutto le Chiese cristiane non hanno mai riconosciuto il Graal come una «vera» reliquia della Passione. Anche se veicolato attraverso l'arte e la letteratura, in una tale visione del mondo il mito del Graal ritrova improvvisamente un posto nella realtà al di là dell'ambito meramente artistico-letterario.

Negli anni intorno alla fine del XIX secolo sembra che il Graal sia tornato un tema attuale in modo molto concreto, e questo ritorno sarà un *Leitmotiv* della sua ricezione nel XX secolo. Un esempio di tale concretizzazione del Graal doveva addirittura portare alla ricerca del Graal stesso nei Pirenei tra le due guerre mondiali. Al centro di questa ricerca c'è la figura di Otto Rahn.

CAPITOLO QUARTO

TRA RITORNO DEL MITO E BANALIZZAZIONE: IL GRAAL DAL XX SECOLO A OGGI

1. *Cercatori del Graal, nazisti e catari: Otto Rahn e il Graal nei Pirenei*

Negli anni precedenti la Seconda guerra mondiale la ricezione del mito del Graal in Germania assunse forme particolarmente entusiaste e concrete, soprattutto negli ambienti nazionalisti, e riguardò anche parti dei vertici dell'apparato di potere nazista. Adolf Hitler, per esempio, disse: «Dal Parsifal costruisco la mia religione». L'elaborazione del mito del Graal secondo il dramma musicale di Bayreuth è fondamentale nell'ideologia di Hitler. L'enorme significato che il Führer attribuiva all'opera di Wagner dedicata al Graal si rifletteva anche nel suo progetto di rendere questo dramma musicale il cuore di un'imponente celebrazione del proprio successo dopo la «vittoria finale». Tali piani, sviluppati durante la guerra, avevano già avuto degli antecedenti negli anni che precedettero lo scoppio del conflitto. Un manifesto di propaganda del 1936, per esempio, mostra Hitler come un cavaliere medievale in armatura corazzata e con in mano uno stendardo a svastica, rappresentandolo come un moderno Parsifal, cavaliere del Graal, e quindi come una figura di salvatore con sfumature religioso-mitiche. Il regime nazista utilizzò il Graal anche nell'architettura: nel castello di Wewelsburg, vicino Paderborn, che fu convertito a uso delle SS a partire dal 1934, una stanza venne chiamata «Graal» e fu allestita una sala rotonda che evocava la scenografia della prima del *Parsifal* del 1882. L'impianto fu probabilmente influenzato dall'idea di costruire un nuovo castello del Graal, un'idea molto diffusa negli ambienti nazionalisti e occultisti dall'inizio del secolo.

La riconversione del castello di Wewelsburg era uno dei progetti preferiti di Heinrich Himmler, il capo delle SS, la cui posizione gerarchica era seconda solo a quella di Hitler. La sua attrazione per il Graal era forse ancora maggiore di quella di Hitler stesso, e in ogni caso ebbe un significato molto più importante per la storia del mito del Graal, perché Himmler decise di prendere sotto la sua protezione Otto Rahn, un cercatore del Graal, la cui ossessione si riverbera nella storia della ricezione del mito fino ad oggi.

Otto Rahn, nato nel 1904 nell'Odenwald, proveniva da una famiglia protestante molto religiosa. Già da studente del ginnasio si entusiasmò per il tema dei movimenti ereticali del Medioevo, un fascino che avrebbe plasmato tutta la sua vita. Dopo il diploma di scuola superiore iniziò gli studi di legge, che però non completò. Abbandonò anche una laurea in filologia, iniziata qualche anno dopo. A Parigi, nel 1930, entrò in contatto con un circolo letterario frequentato dallo scrittore esoterico Maurice Magre. Magre sembra aver incoraggiato Rahn o addirittura avergli dato l'idea di collegare il movimento riformista religioso medievale dei catari con il Santo Graal. Già nel libro di Jessie L. Weston del 1920, *Indagine sul Santo Graal. Dal rito al romanzo*, di cui si parlerà più avanti, si trovavano spunti in questo senso, e in Francia l'idea di una connessione tra i catari e il Graal era relativamente diffusa nel processo di mitizzazione di questo movimento che iniziò negli anni Settanta dell'Ottocento. Quasi nessuna biografia, tuttavia, è stata influenzata da questa idea quanto quella di Rahn.

In Francia Rahn costruì una vasta rete di relazioni, in cui ebbe una funzione centrale la contessa Miryanne de Pujol-Murat, che si considerava la reincarnazione di un importante leader cataro del XII o XIII secolo e che diede a Rahn anche un sostegno materiale. Geograficamente, i Pirenei e soprattutto il castello di Montségur costituirono la pietra angolare e il fulcro della ricerca di Rahn (fig. 4). Egli identificò Montségur con Munsalvaesche, il castello del Graal di Wolfram von Eschenbach: un'associazione linguisticamente scorretta, ma tipica del metodo di procedere nel contesto esoterico e nazionalista di quei tempi. L'idea può probabilmente essere fatta risalire a un

FIG. 4. Il castello di Montségur nei Pirenei francesi.

romanzo francese del 1900, che a sua volta era basato sul *Parsifal* di Wagner; e con Rahn la finzione artistica divenne poi una presunta realtà.

Oggi e già all'epoca di Rahn Montségur era conosciuto principalmente come l'ultimo rifugio dei catari. I membri di questo movimento medievale di riforma religiosa, chiamati anche «albigesi», avevano acquisito una posizione così forte nel Sud della Francia all'inizio del XIII secolo che papa Innocenzo III bandì una crociata contro questi «eretici» nel 1209. La cosiddetta crociata albigese portò all'occupazione della Francia meridionale e a un massiccio indebolimento del movimento; in seguito la persecuzione dei catari fu affidata all'Inquisizione. Dopo un'ultima resistenza contro l'occupazione e la persecuzione religiosa, importanti capi catari si trincerarono nella fortezza di Montségur nel 1243. La fortezza fu in grado di resistere per dieci mesi all'esercito degli assedianti, che aveva una superiorità numerica schiacciante, e i suoi difensori alla fine dovettero capitolare. A tutti coloro che abiuravano il catarismo fu concesso di uscire liberamente dalla fortezza, ma duecento catari preferirono la morte sul rogo alla sottomissione alla Chiesa cattolica.

Rahn era convinto che il nucleo del catarismo consistesse nella venerazione del Santo Graal, anzi che la fede catara fosse la religione del Graal per eccellenza. Secondo lui il Graal apparteneva al tesoro cataro e si trovava a Montségur durante l'assedio del 1243-44; tuttavia, non cadde nelle mani degli assedianti con la resa del castello, poiché un manipolo di audaci catari lo portò fuori di nascosto quando la situazione precipitò. In effetti ci sono prove storiche che l'anello d'assedio intorno a Montségur non fosse completamente impenetrabile fino a poco prima della fine, ma le interpretazioni di Rahn sono in definitiva prodotti della sua immaginazione. Il metodo di Rahn consisteva nell'accordare una fiducia immediata alle sue intuizioni, quindi ciò che gli sembrava plausibile corrispondeva alla verità e una fede incrollabile nelle proprie idee prendeva il posto dell'analisi critica. Persino le ovvie contraddizioni interne alla sua argomentazione non costituivano per lui un problema. Quindi egli interpretò il *Parzival* di Wolfram in relazione alla caduta di Montségur – anche se, come Rahn stesso sapeva e ammetteva apertamente, *Parzival* fu scritto trent'anni prima di quell'evento. Rahn, tuttavia, non si faceva turbare da tali considerazioni razionali e rimaneva fermamente convinto della correttezza delle sue ipotesi sul Graal: secondo lui, il Graal era reale, era un simbolo dei catari e una reliquia del catarismo. In particolare, egli interpretò il Graal come una «pietra caduta dal cielo», usando l'oscura frase *lapsit exillis* che si trova in Wolfram (si veda cap. II, par. 4), «corretto» in *lapis ex coelis*. Questo Graal, dopo la caduta di Montségur, sarebbe stato nascosto da qualche parte in una delle tante grotte nelle montagne della regione. Di conseguenza, Rahn trascorse molto del suo tempo nel Sud della Francia conducendo spedizioni tra le grotte dei Pirenei, sempre a caccia del Graal. Per poter rimanere nei Pirenei a lungo Rahn cercò di stabilirsi in zona come albergatore, ma il suo tentativo fallì.

Nel 1932 prese in gestione un albergo a Ussat-les-Bains, nelle immediate vicinanze della grotta preistorica di Niaux. Questa incursione nel settore alberghiero finì in pochi mesi con la bancarotta di Rahn, che lo portò all'arresto e all'espulsione dalla Francia. Non sarebbe mai più tornato nella terra dei suoi sogni.

Tuttavia, la fine della caccia di Rahn al Santo Graal in Francia non significò la fine della sua esplorazione del mito del Graal. L'anno seguente, nel 1933, pubblicò il suo primo e più influente libro: *Crociata contro il Graal*. Fu attraverso questo testo che Karl Maria Wiligut venne a conoscenza di Rahn. Wiligut era un occultista e fantasista nazionalista austriaco, che sosteneva di avere accesso diretto all'antica storia germanica attraverso una sorta di memoria genetica.

Negli anni Trenta Wiligut fu il consigliere personale di Heinrich Himmler su questioni occulte ed esercitò così una massiccia influenza, fino a quando fu rimosso da tutti i suoi incarichi ufficiali da Himmler stesso nel 1938 a causa dell'estrema assurdità delle sue fantasie e di vari scandali, collegati, tra l'altro, a una documentata malattia mentale di Wiligut. Prima di allora, nel 1935, Rahn, la cui situazione finanziaria fino a quel momento aveva per lo più oscillato tra il precario e il disastroso, aveva ricevuto da Wiligut l'opportunità di una posizione stabile come consulente nel suo dipartimento «sullo studio della razza ariana e del suo insediamento in Germania». La decisione di Rahn di accettare questa offerta potrebbe essere stata inizialmente motivata dall'opportunismo; in ogni caso, comunque, ora apparteneva allo staff personale di Himmler e si unì negli anni seguenti alle SS e al Partito nazista. Lavorò direttamente per Himmler alla compilazione del suo albero genealogico, collaborazione da cui si sviluppò un rapporto di fiducia tra i due.

Himmler in seguito promosse il secondo libro di Rahn, *La corte di Lucifero. I catari guardiani del Graal*, del 1937, un diario di viaggio, completamente allineato al nazismo, in cui tratta dei movimenti eretici in varie parti d'Europa.

L'opera riprende l'equiparazione di Montségur con il castello del Graal del *Parzival* di Wolfram, ma a differenza della *Crociata contro il Graal*, questo testo è intriso di un antisemitismo aggressivo. Per esempio, Rahn considera il movimento eretico dei catari come superiore alla Chiesa romana, perché incentrato su una «Forza Ariana» (che Rahn scrive con l'iniziale maiuscola) invece che su una «mitologia ebraica». La citazione di Schopenhauer che Rahn premette al suo testo come motto è significativa: esprime la speranza che l'Europa venga ripulita dalla «mitologia ebraica» – questa citazione è stata omessa da alcune ristampe recenti. Nell'opera di Rahn il catarismo è presentato come una possibile alternativa al cattolicesimo romano, poiché la «purificazione» degli elementi «ebraici» non sarebbe necessaria per il catarismo. Rahn identifica anche il Graal come una pietra e un simbolo dei catari, ma spinge oltre la sua interpretazione e la considera una pietra preziosa che si ruppe dalla corona di Lucifero quando cadde dal cielo. Lucifero, il «Portatore di luce» (dal latino *lux* e *ferre*), viene in tal modo descritto positivamente. La connessione tra il Graal e una pietra spezzata della corona di Lucifero si trova peraltro già nella raccolta di carmi in medio-alto tedesco intitolata *Wartburgkrieg* (*Guerra di Wartburg*) ed è anche talvolta riportata da Rudolf Steiner. Rahn radicalizza qui le sue precedenti posizioni in senso decisamente anticattolico e antiebraico. Cerca persino di «arianizzare» il Graal facendo derivare la parola «Graal» dal persiano.

Dal punto di vista linguistico, il persiano è la lingua ariana per eccellenza, poiché il termine «ariano» è un prestito dal persiano che denota effettivamente i parlanti il persiano. Rahn indulge anche in fantasie grottesche che sono ancora una volta radicate nell'ideologia nazista, come l'idea che la letteratura francese del Sud, la letteratura persiana e quella islandese avrebbero «attinto dalla stessa fonte originaria», cioè «la saggezza nordica»; di conseguenza Asgard, la residenza degli dèi secondo la mitologia nordica, corrisponderebbe al castello del Graal. Quando comparve *La corte di Lucifero*, Rahn evidentemente non era più un semplice seguace opportunista del regime, ma un devoto seguace. L'apprezzamento di Himmler per il libro arrivò al punto che egli fece stampare un'edizione speciale per il suo uso personale, con una veste particolarmente lussuosa, di cui regalò una copia al Führer per il suo compleanno nel 1937. Rahn era arrivato nel cuore del movimento nazista.

Solo poco tempo dopo, tuttavia, la sua posizione nell'apparato nazista sarebbe stata la sua rovina. Come misura disciplinare dovuta, tra l'altro, all'eccessivo consumo di alcol, Rahn fu assegnato alle guardie del campo di concentramento di Dachau per quattro mesi nel 1937, e dopo ulteriori problemi fu mandato al campo di concentramento di Buchenwald. Quando infine, nel 1939, divenne pubblico che Rahn era omosessuale, egli stesso chiese di essere dimesso dalle SS e la sua richiesta fu accolta. Nel marzo 1939 Rahn si avvelenò sulle Alpi tirolesi; le testimonianze contemporanee suggeriscono che gli fu data la scelta tra il suicidio o l'internamento in un campo di concentramento. Himmler riabilitò postumo Rahn nelle SS e continuò a promuovere la distribuzione dei suoi libri. Anche nel 1943, quando ormai la guerra era scoppiata ed erano trascorsi alcuni anni dalla morte di Rahn, sostenne il progetto per una nuova edizione della *Corte di Lucifero* e in un'occasione assicurò personalmente una fornitura di carta per 10.000 copie. Questa nuova edizione non fu realizzata, perché la casa editrice venne bombardata prima che il lavoro di stampa fosse completato. Il fatto che questo tentativo sia stato compiuto poco prima della prevedibile sconfitta dimostra più di ogni altra cosa l'importanza che Himmler attribuiva alla *Corte di Lucifero* come opera di propaganda nazista.

Nonostante questo profondo radicamento nell'ideologia nazista, l'eredità letteraria di Rahn perdura ancora oggi. Sia la fanatica *Crociata contro il Graal* sia il volume profondamente nazionalsocialista *La corte di Lucifero* furono ripubblicati molte volte dopo la guerra.

Anche dopo la fine del millennio, una piccola casa editrice ha continuato a pubblicare i libri di Rahn. Ed esistono anche traduzioni in inglese di entrambe le opere. Già nel 1934 fu pubblicata una traduzione francese della *Crociata*, ristampata solo pochi anni fa; *La Corte di Lucifero* fu tradotta in francese nel 1976. Come pioniere di un «Rinascimento occitano», Rahn è probabilmente ancora più conosciuto in Francia che in Germania. Nel piccolo museo del villaggio di Montségur la sua immagine è appesa nell'albo d'oro degli esploratori della fortezza che si sono distinti per particolari meriti, cosa che rende probabilmente Rahn l'unico ufficiale delle SS a essere onorato in un museo francese.

La sopravvivenza di Rahn nel Sud della Francia ha influito sull'opera dell'autrice britannica Kate Mosse (n.

1961), la quale tratta l'idea di una correlazione tra il Graal e la Francia meridionale in modo significativamente diverso da Rahn. Mosse è una delle autrici contemporanee di maggior successo che si è occupata del tema: i romanzi della sua trilogia della Linguadoca, in cui il Graal riveste un ruolo chiave, sono stati tradotti in 38 lingue fino ad oggi. La svolta di Mosse è arrivata nel 2005 con il primo libro della trilogia, *Labyrinth* (*I Codici del labirinto*), da cui nel 2012 è stata tratta una serie televisiva. *Labyrinth* è ambientato in due diverse epoche: all'inizio del XIII secolo, al tempo delle crociate contro gli albigesi, e nel 2005, ai giorni nostri. Questi due livelli temporali sono strettamente intrecciati attraverso la condivisione degli stessi luoghi – in particolare la città di Carcassonne (fig. 5) – e facendo sì che i personaggi principali della narrazione si rispecchino l'uno con l'altro, attraverso nomi corrispondenti e ricordi diffusi che, abbracciando ottocento anni, li fanno sentire direttamente collegati. Così l'eroina del filone narrativo medievale, Alaïs Pelletier, appare regolarmente nei sogni di Alice Tanner, la protagonista della parte della storia ambientata nel presente; a volte la presenza di Alaïs nella vita di Alice arriva addirittura fino a *déjà vu* di intensità travolgente. Il legame tra le due donne è spiegato genealogicamente nel corso della trama, poiché Alice si riconosce come una discendente diretta di Alaïs.

Allo stesso tempo si fa più volte accenno al tema della rinascita. Le linee di collegamento fra il XIII e il XXI secolo includono anche alcune delle persone vicine alle due eroine o dalla parte dei loro avversari, che vogliono trovare il Graal per impadronirsene o per distruggerlo, poiché lo considerano una violazione eretica del dogma cattolico. Un legame ancora più concreto tra i due livelli temporali è fornito dalla figura di Sajhë o Audric S. Baillard. Nel filo narrativo medievale Sajhë è un giovane contemporaneo di Alaïs la cui vita è stata prolungata di molti secoli grazie al Graal. Così, nei panni di un vecchio sotto il nome di Audric Baillard, può incontrare Alice Tanner e aiutarla a rivivere gli eventi del XIII secolo, ma questa volta portandoli a un lieto fine.

Il Graal appare nei *Codici del labirinto* come una fonte di vita, non eterna, ma estesa ben oltre la normale

FIG. 5. Le mura medievali di Carcassonne.

misura umana. L'origine del Graal è ricercata nell'antico Egitto dove i sacerdoti avrebbero scoperto un metodo, con l'aiuto di una pozione in combinazione con un rituale e un incantesimo, per prolungare la vita di una persona fino a una durata di circa otto secoli. Nel mondo narrativo del romanzo questo segreto è protetto per millenni da un ordine occulto di custodi del Graal e viene utilizzato solo in singoli casi per permettere a persone selezionate di testimoniare ai posteri i crimini che gli uomini possono commettere contro i loro simili; per esempio si spiegano in questo modo le vite secolari dei patriarchi del Vecchio Testamento. Il compito di Sajhës, o Audric Baillard, per il quale gli è stata data una vita prolungata, è quello di preservare dall'oblio la memoria degli orrori della crociata albigese, assicurando così una voce nella storia agli oppressi e ai perseguitati della Linguadoca. Le descrizioni del Graal nella letteratura francese del Medioevo sono spiegate come prodotto dell'Ordine dei custodi del Graal, il cui scopo era distrarre dal vero Graal. Nel suo romanzo Kate Mosse usa quindi l'artificio di non raccontare la letteratura medievale del Graal, ma di trattare la «vera» storia del Graal e di descrivere come le cose

95

sarebbero «realmente» accadute (e in modo diverso dai testi medievali). Questo le dà la libertà di essere molto indipendente da quei testi nella sua rappresentazione del Graal. In particolare, si distacca completamente dall'immagine del Graal come calice dell'Ultima Cena, che lo caratterizzerebbe come un motivo specificamente cristiano. Questo distacco è centrale per il messaggio morale del romanzo, che rivendica con grande enfasi la tolleranza religiosa e critica qualsiasi tipo di fondamentalismo religioso con la massima fermezza. Le eroine del romanzo, Alaïs Pelletier e Alice Tanner, sono in larga misura areligiose, e i catari, che furono perseguitati durante la crociata albigese, sono idealizzati come un movimento religioso che si distinse per la sua tolleranza, in contrasto con l'intolleranza fondamentalista e la crudeltà disumana dei loro persecutori cattolici. Si sottolinea ripetutamente che il Graal appartiene «a tutte le religioni e a nessuna» e che la comunità dei custodi del Graal è composta ugualmente da ebrei, cristiani, musulmani e non credenti. Allo stesso tempo, la separazione del Graal dai corrispondenti testi cristiani medievali permette l'uso di un nuovo immaginario che è più attraente per un pubblico contemporaneo, lontano dalla Chiesa, rispetto all'immagine del calice dell'Ultima Cena.

Nella rappresentazione del Graal di Kate Mosse si combinano l'Egitto del Romanticismo tedesco (specialmente l'ankh e l'uso dei geroglifici), il motivo della «donna saggia» guaritrice, perseguitata dalla Chiesa, il labirinto come oggetto contemporaneo di fascinazione e la diffusa credenza nella rinascita, mentre il calice del Graal riveste solo un ruolo subordinato, non essendo infatti altro che il recipiente intercambiabile da cui, nel profondo di una grotta di culto, si beve la pozione per prolungare la vita di un testimone del tempo che deve raccontare a quelli nati dopo di lui la crudeltà dell'uomo verso l'uomo. L'importanza dei catari per la narrazione, un soggiorno temporaneo della guardiana del Graal Alaïs a Montségur e in conclusione la scoperta del Graal in una grotta suggeriscono una ricezione diretta o indiretta delle teorie del Graal di Otto Rahn, anche se Rahn non è ancora esplicitamente citato nel primo romanzo della trilogia della Linguadoca. Il tema della rinascita ricorda in particolare la contessa Miryanne de Pujol-Murat, che mantenne Rahn nel Sud della Francia.

Nel secondo volume della trilogia della Linguadoca, *Sepulchre* (2007, *L'ottavo arcano*), il Graal fa la sua comparsa, dato che si gioca con la ricezione del simbolo nella letteratura attuale. In questo caso, il romanzo riprende il ruolo di Rennes-le-Château nelle teorie contemporanee del complotto del Graal, come nel *Codice Da Vinci* di Dan Brown, tra gli altri, che vuole vedere la linea di sangue di Gesù Cristo nel Graal. A Rennes-le-Château, nel 1891, il sacerdote locale Bérenger Saunière trovò delle pergamene che dovevano provare che Gesù non visse una vita celibe, ma fu sposato con Maria Maddalena ed ebbe dei figli con lei. I loro discendenti sono vissuti fino ad oggi, e il loro «sangue santo» sarebbe il vero Graal. Tuttavia, Mosse tratta questa teoria nello stesso modo in cui ha integrato la letteratura medievale del Graal in *Labyrinth*: nel suo mondo narrativo queste teorie complottiste sono state deliberatamente fatte circolare per distrarre dagli eventi «reali» degli anni in questione alla fine del XIX secolo, di cui Mosse si occupa nel romanzo – e che qui, ironicamente, non hanno affatto a che fare con il Graal. Allo stesso tempo, nel contesto della trama del romanzo e di un epilogo storico-geografico, viene fatta una chiara critica degli eccessi della ricezione contemporanea del *Codice Da Vinci*, che ha portato alla chiusura del cimitero della vera Rennes-le-Château perché troppi visitatori non avevano trattato questo luogo con il necessario rispetto.

Il terzo volume della trilogia della Linguadoca (*Citadel*, 2012; *Il Codice del destino*), come *I Codici del labirinto* e *L'ottavo arcano*, è di nuovo impostato su due livelli temporali. Nel IV secolo segue in brevi episodi il destino del monaco Arinius, che vuole salvare un testo «eretico» dalla distruzione. Arinius è stilizzato come un rappresentante idealtipico di un cristianesimo eretico tollerante che viene giudicato in modo decisamente positivo, come positiva era stata la valutazione dei catari in *Labyrinth*. Al suo secondo livello temporale il romanzo è ambientato principalmente nel 1942 e nel 1944, con flashback negli anni Trenta; il luogo principale dell'azione è Carcassonne. Il Graal in sé e per sé non ha un ruolo diretto nel *Codice del destino*, ma è menzionato soprattutto come oggetto di fascino per i nazisti o i collaborazionisti, che sono i protagonisti. Il ricercatore del Graal Otto Rahn ha invece un ruolo direttamente rilevante. Anche se già morto al momento del racconto, è in definitiva Rahn che fa da filo conduttore con gli anni Quaranta. Durante i suoi soggiorni nel Sud della Francia negli anni Trenta, Rahn, secondo la ricostruzione del romanzo, entrò per puro caso in possesso di una mappa, che doveva condurre al testo nascosto da Arinius. Rahn diede questa mappa al suo amico Antoine Déjean, con il quale vagò per diversi mesi nelle grotte e nelle roccaforti catare dei Pirenei.

Dopo il suicidio di Rahn, i membri dell'associazione Ahnenerbe («eredità ancestrale»), un'organizzazione culturale nazista, trovarono le prove dell'esistenza del testo eretico e sguinzagliarono i loro scagnozzi per assicurare la reliquia al Reich attraverso un sanguinoso gioco del gatto e del topo nella Francia meridionale occupata. Il romanzo ritrae i rappresentanti del cristianesimo cattolico istituzionale come i cattivi della storia, che, per un fondamentalismo intransigente, torturano e uccidono senza rimorso e collaborano con i nazisti per assicurare una posizione forte alla Chiesa nella società moderna. Gli eroi del romanzo, d'altra parte, appaiono, come nell'*Ottavo arcano*, lontani dalla Chiesa e accentuatamente liberali e tolleranti. Il destino di Otto Rahn si dispiega precisamente nella dialettica tra le due ideologie fondamentali che sono attratte dal catarismo, lo gnosticismo e il Graal: liberalismo da una parte e intolleranza fascistoide dall'altra. Nel *Codice del destino* il profilo di Rahn è tratteggiato da personaggi del romanzo molto diversi: disprezzato dai suoi ex colleghi dell'associazione Ahnenerbe per la sua omosessualità, appare nelle reminiscenze degli eroi francesi della narrazione come un giovane ingenuo ed estroso, che non capì, fino a che non fu troppo tardi, cosa fossero veramente le SS. I suoi due libri, che Kate Mosse cita anche nella bibliografia alla fine del suo romanzo, sono descritti come «piuttosto particolari». Otto Rahn diventa nell'opera dell'autrice inglese il personaggio di un romanzo di fantasia e trova un giudizio di apprezzamento artistico delle ambivalenze e tensioni della sua vita di fallimenti, che forse nel complesso rimane troppo positivo.

2. Complotti, Monty Python e ancora nazisti

Il Graal continua a riscuotere ampio successo popolare in una grande varietà di media. In effetti si può dire che tutta la storia del Graal dal *Perceval* di Chrétien de Troyes in poi è la storia di un successo di pubblico e i romanzi di Kate Mosse non sono altro che l'ultimo anello di una catena la cui prossima puntata non tarderà ad arrivare.

Tuttavia, per occuparsi del tema del Graal non è indispensabile produrre un'opera seria: uno dei classici film sul Graal, *Monty Python e il Sacro Graal* (1974), è infatti tutt'altro che serio. Con questo film il gruppo comico britannico Monty Python presenta una satira sul materiale del Graal (e vari temi contemporanei), che ridicolizza sistematicamente il materiale arturiano e in generale qualsiasi trasfigurazione romantica del Medioevo. Il film ha carattere fortemente episodico e la sua struttura sciolta ricorda i romanzi cavallereschi medievali. Allo stesso tempo, l'assurdità dei singoli episodi di «avventura» è in contrasto con qualsiasi pathos cavalleresco. In un episodio sir Galahad ha una visione del Graal sopra un castello. Ben presto si scopre, però, che il castello è abitato da centocinquanta giovani donne innamorate che vogliono attirare i cavalieri con una luce a forma di Graal per poter fare sesso con loro. Sir Galahad – il casto e unico davvero di successo fra i cavalieri del Graal di Tennyson, di Malory e dei grandi cicli francesi antichi – resiste all'inizio, ma è presto preso dall'idea – e viene «salvato» proprio in quel momento dagli altri cavalieri, contro la sua volontà. In un altro episodio, verso la fine del film, quando Artù stesso si trova al cancello del (presunto o forse reale) castello del Graal, in quanto inglese viene deriso e imbrattato di feci dalla guarnigione francese, ma quando risponde all'insulto con un assalto alla testa del suo esercito, viene fermato dalla polizia: in una scena precedente, durante le riprese del film, un «famoso storico» era stato picchiato a morte senza motivo da un cavaliere, e Artù ora viene arrestato come sospetto assassino. A metà degli anni Settanta il successo nella ricerca del Graal sembra essere fuori dal tempo come il Graal stesso.

Trattata con ironica distanza è anche la più importante rielaborazione del Graal nella letteratura colta degli anni Ottanta. Nel romanzo di Umberto Eco *Il pendolo di Foucault*, la cui trama ruota intorno al tema delle teorie esoteriche del complotto, il Graal fa un'apparizione coerente alla trama. In una scena chiave del romanzo un certo colonnello Ardenti presenta la sua visione del Graal a un editore. Ardenti fonde liberamente l'idea di Wolfram von Eschenbach del Graal come pietra con la storia di Otto Rahn e la teoria di una cospirazione mondiale dei Templari: il Graal è in realtà una fonte di energia. Questa fonte di energia – forse, secondo Ardenti, materiale radioattivo, di possibile origine extraterrestre – sarebbe già stata cercata da Hitler, e anche le crociate avrebbero avuto in realtà lo scopo di conquistare il Graal. Per Ardenti tutta la mitologia del Graal, compresa la figura di Gesù, è fondamentalmente nordico-celtica e ariana. L'editore lo considera un pazzo – ma quella stessa notte Ardenti viene assassinato. Per quanto folli fossero le sue idee di un Graal di potere, non lo erano abbastanza da non farlo apparire una minaccia per un altro gruppo di cospiratori ancora più folle. Più tardi si scopre che il presunto colonnello Ardenti era in realtà un tale Arcoveggi ed era stato condannato a morte in contumacia per aver collaborato con le SS nel 1945.

La rielaborazione da parte di Eco della ricezione contemporanea del Graal ironizza su di essa e la problematizza a diversi livelli; la storia di Ardenti è presentata come insensata, Ardenti stesso è un impostore e un criminale di guerra, i suoi assassini sono totalmente fuorviati e la ricerca del Graal passa dal fascino all'assurdità. Allo stesso tempo, però, Eco evidenzia il potenziale oppressivo del mito del Graal se monopolizzato da estremismi politici e quindi non solo collega il Graal al nazismo attraverso Rahn e Hitler, ma introduce l'intero capitolo con una citazione dal *Mistero del Graal* di Julius Evola (1934). Questo riferimento è importante perché Evola fu uno dei teorici del fascismo italiano e, più recentemente, della Nuova Destra. Così il Graal appare non solo come una curiosità bizzarra e un'assurdità, ma in definitiva anche come il potenziale vessillo di una minaccia estremista neofascista.

L'affinità dei nazisti con il Graal è anche il soggetto di uno dei più noti adattamenti odierni del mito del Graal: il film di Steven Spielberg *Indiana Jones e l'ultima crociata* (1989). A differenza del romanzo di Eco, che si occupa criticamente di un segmento reale della cultura contemporanea, questo lungometraggio è pura evasione: la caccia al Graal come un'avventura. Dal punto di vista storico, tuttavia, questo approccio alla materia non sarebbe del tutto sbagliato, visto che gran parte dei romanzi medievali del Graal, con le loro sequenze di tornei, dame salvate e mostri, non era probabilmente altro che una forma di intrattenimento per il pubblico del tempo. Non è chiaro, tuttavia, se i nazisti in cerca del Graal che compaiono in questo film abbiano anche un legame con la storia, riprendendo la figura di Otto Rahn: è stato più volte suggerito che la trama del film potrebbe essere ispirata alla biografia di Rahn, ma Spielberg non l'ha mai confermato. In ogni caso, non sarebbe rimasto molto del personaggio di Otto Rahn, poiché il suo posto nel film è preso da una donna (naturalmente) seducente, la ricercatrice austriaca Elsa Schneider. Inoltre, la caccia al Graal non si svolge nei Pirenei, ma in Medio Oriente: a quanto pare, nel genere dei racconti d'avventura l'«Oriente» è ormai considerato più eccitante dell'Europa. Per rendere questo possibile, la storia di Giuseppe d'Arimatea è modificata nel senso che egli non avrebbe mai lasciato il Medio Oriente con il Graal e che il Graal sarebbe stato riscoperto dai cavalieri durante la prima crociata.

Uno dei più grandi successi commerciali nella più recente storia della reinterpretazione del Graal è il thriller di Dan Brown *Il Codice Da Vinci* (2003), da cui è stato tratto un film nel 2006 con Tom Hanks e Audrey Tautou. Il romanzo si basa su una reinterpretazione radicale del Santo Graal: secondo la narrazione, la definizione del *Sangreal* come «Santo Graal» (*San-greal*) sarebbe in realtà sbagliata: la lettura corretta è *sang real*, «sangue reale». Il «sangue reale» in questione sarebbe la linea di sangue di Gesù Cristo che avrebbe fondato una dinastia con Maria Maddalena, la quale sarebbe continuata attraverso la dinastia reale medievale dei Merovingi fino ai giorni nostri. Intorno a questo Graal di nuova concezione Dan Brown crea una vivace caccia al tesoro in cui combina una profonda reinterpretazione della storia della Chiesa con elementi d'azione, raggiungendo così un immenso successo di pubblico, tanto che il libro è stato tradotto in 44 lingue. Per quanto radicale possa essere la reinterpretazione del Graal alla base del *Codice Da Vinci*, essa non è originale: Dan Brown costruisce il suo romanzo intorno a tesi che erano già state diffuse due decenni prima da Michael Baigent, Richard Leigh e Henry Lincoln nel loro popolare *Il santo Graal* (1982), il che ha portato Baigent e Leigh a intentare una causa per plagio contro Dan Brown nel 2005, respinta dal tribunale. Il successo di Dan Brown è stato tale che l'idea del Graal come linea di sangue di Gesù è ormai saldamente radicata nella cultura popolare, almeno come punto di riferimento per i rimandi letterari. Kate Mosse, per esempio, ha inserito richiami analoghi nel secondo romanzo della sua trilogia della Linguadoca (*L'ottavo arcano*). Una sublime ironia del successo di Dan Brown sta nel fatto che esso è stato predetto in un certo senso da Umberto Eco nel suo *Pendolo di Foucault* quindici anni prima che apparisse *Il Codice Da Vinci*: Eco fa enunciare a uno dei suoi eroi la tesi principale del *Santo Graal*, tesi che viene commentata da un altro personaggio il quale afferma che nessuno prenderebbe mai sul serio una cosa del genere. Ed Eco, come narratore in prima persona, risponde con ironia feroce che un tale libro venderebbe diverse centinaia di migliaia di copie. Eco aveva sbagliato solo su un punto: il libro ha venduto non centinaia di migliaia, ma milioni di copie.

La ricezione del Graal da parte di Brown non è ortodossa, ma rimane all'interno di un quadro di riferimento cristiano, il cui significato è però mutato in modo impressionante in senso oppressivo e razzista.

La cornice cristiana viene spesso infranta nella ricezione del Graal nel XX e XXI secolo. Una pioniera della «paganizzazione» del Graal fu Jessie Laidlay Weston

(1850-1928). Nel corso di una lunga carriera di letterata, traduttrice e saggista, Weston ha prodotto più di una dozzina di libri sulla letteratura arturiana. Nell'ultimo di questi libri, *Indagine sul Santo Graal. Dal rito al romanzo* (1920), Weston, che all'epoca aveva già 70 anni, applicò le teorie di storia religiosa di sir James George Frazer al tema del Graal. Attingendo alla monumentale opera di Frazer *Il ramo d'oro* (1890-1915), interpretò la rielaborazione del Graal nella letteratura medievale come un riflesso di un rituale di fertilità precristiano. Al centro della sua interpretazione c'è il motivo della «terra desolata», la cui aridità può essere curata solo col successo della ricerca del Graal, e dietro la quale c'è l'identità mistica di terra e re: il benessere dell'uno è legato a quello dell'altra; se il re sta bene, allora anche la terra fiorisce – e viceversa. L'aridità della «terra desolata» è quindi una conseguenza della debolezza del re, che però può essere guarita dal Graal – e quindi il compito del cavaliere del Graal è in definitiva quello di ripristinare la fertilità della terra. Il cavaliere riesce a portare a termine questo compito guarendo il Re Pescatore con l'aiuto del Graal. Questo rito, secondo Weston, veniva messo in atto tradizionalmente nei tempi precristiani. Le rappresentazioni del XII e XIII secolo della ricerca del Graal sarebbero in definitiva delle trasposizioni letterarie di questo rito pagano.

Weston cerca di sviluppare la sua teoria attraverso un ampio quadro complessivo di materiali e parallelismi tra loro molto differenti. Il suo libro abbraccia quindi un arco che va dai poemi vedici della più antica letteratura indiana ai Tarocchi. Proprio i riferimenti ai Tarocchi possono servire come esempio tipico del metodo di lavoro di Weston. Il principale occultista anglo-americano dell'epoca, Arthur Edward Waite, con cui Weston era in contatto personale, qualche anno prima della pubblicazione del libro di Weston aveva sviluppato un'interpretazione dei «piccoli arcani» dei Tarocchi, le carte dei semi, in cui identificava i quattro semi con gli oggetti della mitologia del Graal. Inizialmente, i quattro semi dei Tarocchi corrispondono semplicemente a quelli della mano «francese»: fiori, cuori, picche e quadri, o della mano «tedesca»: ghiande, cuori, foglie e campane. Nei Tarocchi questi quattro colori sono bastoni, coppe, spade e denari (o pentacoli, o dischi). Waite, all'epoca autorità (occultista) nel campo dei Tarocchi e creatore del mazzo più diffuso ancora oggi (il mazzo Rider-Waite pubblicato per la prima volta nel 1909), equiparò questi quattro semi alla lancia sanguinante, al calice, alla spada e al piatto dei romanzi del Graal (cfr. il riassunto del *Perceval* di Chrétien, si veda cap. I, par. 2). Weston riprese acriticamente questo parallelismo come prova dell'antichità dell'insieme di oggetti associati al Graal in vari testi della letteratura arturiana, che interpretò come i simboli centrali di un antico culto misterico. Nel fare ciò, tuttavia, Weston stava utilizzando in definitiva un'idea esoterica dell'inizio del XX secolo per decifrare gli antecedenti di una narrazione del XII secolo. Questo è un esempio estremo, ma nel complesso tipico del suo modo di ragionare spesso ingenuo, che fece sì che la sua tesi non riuscisse ad affermarsi scientificamente.

Nella letteratura e nel cinema, invece, Weston ebbe un notevole impatto, grazie anche all'importante ruolo di moltiplicatore che ebbe niente meno che Thomas Stearns Eliot (1888-1965), uno dei più importanti poeti di lingua inglese del XX secolo. Una delle sue prime grandi opere, il lungo poema *La terra desolata* (1922), riprende motivi della letteratura arturiana; il suo stesso titolo si riferisce al complesso del Graal, dove la terra desolata è proprio la terra che soffre del fallimento del cavaliere del Graal. Allusioni al Re Pescatore appaiono in vari luoghi. Nelle note che T.S. Eliot aggiunse alla prima edizione del libro su insistenza del suo editore egli rimandò a *Indagine sul Santo Graal* di Weston quale contributo essenziale per comprendere il poema.

Anche se Eliot in seguito prese le distanze dalle sue note, questa menzione assicurò comunque a Weston per lungo tempo un ruolo nella cultura popolare.

In questo contesto va collocata proprio la realizzazione artistica forse più coerente della teoria del Graal di Weston, ovvero il dramma ricco di mistero e visivamente potente *Excalibur* (1981) di John Boorman. Nei titoli di testa si specifica che il film è tratto da *Le Morte Darthur* di sir Thomas Malory; in realtà, la trama non segue gli adattamenti medievali del materiale del Graal, ma si basa sulle idee di Weston riguardo alle loro radici storico-religiose. Boorman fonde Artù con il Re Pescatore invalido: dopo aver sorpreso Lancillotto e Ginevra in adulterio e aver generato Mordred con sua sorella Morgana, Artù cade in un'infermità che lo priva di tutte le forze. Mentre il re diventa sempre più fragile, la terra è afflitta da carestie e pestilenze. Artù invia quindi i cavalieri della Tavola Rotonda alla ricerca del Graal, che offre l'unica possibilità di salvare la Gran Bretagna. La maggior parte dei cavalieri muore in questa ricerca, ma Perceval riesce finalmente a trovare il Graal e a portarlo ad Artù. Per fare questo Perceval deve capire e pronunciare il mistero del Graal, cioè che il re e la terra sono una cosa sola. Dopo che ha portato il Graal ad Artù e questi vi ha bevuto, il suo potere ritorna, e nel momento in cui il re guarisce, anche la terra torna in vita. Quindi Artù, che ha recuperato le forze, parte per la sua battaglia finale contro Mordred, mentre Perceval e i suoi cavalieri cavalcano attraverso una foresta di alberi da frutto in fiore. Il film, che è stato premiato come miglior contributo artistico al Festival di Cannes del 1981, mette in atto accuratamente la teoria di Weston: il mito del Graal ha le sue radici nell'equazione della fertilità della terra con il potere del re, e il compito dell'eroe del Graal è la santificazione della terra attraverso la guarigione del re, che il Graal realizza.

Nel campo della letteratura la rielaborazione più importante del materiale arturiano e del Graal con riferimento a Frazer e Weston è il bestseller di Marion Zimmer Bradley *Le nebbie di Avalon* (1982), da cui è stata tratta una miniserie televisiva uscita nel 2001. Questo monumentale romanzo racconta la storia di Artù e dei cavalieri della Tavola Rotonda dalla prospettiva di Morgana, che di solito gioca il ruolo di antieroina nella tradizione narrativa medievale. Qui, invece, Morgana è reinterpretata come una figura positiva, una delle ultime sacerdotesse della «Grande Dea» in un mondo sempre più cristiano e allo stesso tempo decadente. Nel romanzo sono proprio i protagonisti cristiani della narrazione ad avere una connotazione negativa, la simpatia dell'autore va infatti alla religione precristiana, anche se la sua rappresentazione deve più ai movimenti neopagani contemporanei che alla storia religiosa genuinamente precristiana. Il Graal di Bradley non è (come quello di Weston) di origine cristiana, ma uno dei simboli di un culto misterico della fertilità precristiano, è il centro dell'insieme di coppa, piatto, lancia e spada, che nell'opera di Bradley, come in quella di Weston, su cui è probabilmente modellata, rappresentano le quattro «insegne sacre» della religione antica. Il Graal diventa accessibile al mondo cristiano solo quando uno dei sacerdoti della «Grande Dea» (il «Merlino della Britannia») ha pietà della gente del nuovo mondo cristiano: volendo dare accesso agli antichi poteri curativi per alleviare la sua sorte, toglie il Graal dal luogo segreto dove era stato conservato come simbolo dei misteri e lo porta nel mondo della gente ora cristiana. Merlino deve pagare questo gesto con la vita, e le sacerdotesse della Dea riportano presto il Graal ad Avalon. Ma anche se il Graal come coppa e calderone della Dea è un mistero pagano, nel romanzo di Bradley entra comunque nella leggenda cristiana attraverso le circostanze della sua sottrazione da Avalon a cui viene associato anche Giuseppe d'Arimatea. Più tardi, dice il romanzo, alcuni credono che il Graal si trovi in una sorgente a Glastonbury, che ora è chiamata Chalice Well («Pozzo del Calice»), e talvolta appare sull'altare della cappella cristiana di Glastonbury. Così il Graal funge da barlume di speranza nell'oscurità del Medioevo cristiano. Per la corte di Artù, tuttavia, il Graal è più una maledizione che una benedizione, perché i cavalieri della Tavola Rotonda si disperdono ai quattro venti per cercarlo, e troppi di loro muoiono nell'impresa.

Con *Le nebbie di Avalon* di Marion Zimmer Bradley lasciamo l'ambito della ricezione puramente artistica del Santo Graal. La rielaborazione del materiale da parte di Bradley è orientata verso il culto neoreligioso di una «Grande Dea», specialmente nel contesto del movimento Wicca, e la pubblicazione del romanzo ha avuto anche un impatto diretto sulle correnti religiose alternative contemporanee: nei resoconti autobiografici delle conversioni alla religione neopagana contemporanea della «Grande Dea», la lettura di questo libro viene ripetutamente citata come un'esperienza chiave. Così questo romanzo ci riporta alle ricezioni effettivamente religiose del Graal.

Inoltre, il centro geografico della narrazione di Bradley è la città di Glastonbury, nell'Inghilterra meridionale, che l'autrice identifica a vari livelli con la mitica isola di Avalon. Sia Glastonbury che il ruolo talvolta genuinamente religioso del Graal nella sua ricezione più recente sono al centro del prossimo paragrafo.

3. *Dal vetro blu all'acqua rossa: il Graal a Glastonbury*

Glastonbury Tor si erge sopra la piccola città di Glastonbury nel Somerset, nel Sud dell'Inghilterra: una collina ripida che si staglia prominente dalla piatta campagna circostante ed è coronata da una torre imponente, l'ultimo residuo di una chiesa distrutta da tempo.

In un giardino ai piedi della collina sgorga una sorgente: è il Chalice Well appena sopra menzionato (fig. 6). L'acqua di questa sorgente minerale contiene molto ferro, e dove scorre lascia depositi di colore rosso-arancione.

Con una portata giornaliera di circa 109.000 litri, questa sorgente è stata la linfa vitale dell'insediamento per molto tempo. Oggi, tuttavia, la sua importanza va oltre il livello pratico dell'approvvigionamento idrico. Chi entra nel giardino del pozzo riceve, insieme al biglietto, per un prezzo quasi simbolico, una bottiglia da pellegrino, che può essere riempita con l'acqua della sorgente, mentre il luogo dove essa sgorga è concepito come uno spazio di contemplazione e meditazione: una tettoia verde scuro fatta dei rami intrecciati di un tasso e di un alloro copre una cavità fortificata da bassi muri di pietra, in mezzo alla quale il pozzo aperto permette di vedere l'acqua in profondità. Delle ammoniti sono incastonate nel lastricato che circonda la vera del pozzo; il bordo di pietra è decorato da un anello di fiori e frutti colorati che cambia con le stagioni; e la piastra di copertura in legno di quercia è incorniciata in un motivo ogivale a *vesica piscis* in ferro battuto: si tratta di una forma semplice ed elegante ottenuta da due cerchi dello stesso raggio che si intersecano, in cui si incontrano la geometria euclidea e le forme fondamentali dell'arte ecclesiastica. Un profondo silenzio regna in questo ritiro. Anche l'acqua nel pozzo è uno specchio d'ar-

FIG. 6. Il Chalice Well con la copertura disegnata da Frederick Bligh Bond, a Glastonbury.

gento immobile; un tubo sotterraneo la porta in superficie in un'altra parte del giardino, così che alla sorgente non si sente nemmeno un gorgoglio.

Glastonbury e specialmente il Chalice Well sono strettamente connessi al Graal in molti modi. Come ricordato, Glastonbury, dove le salme di re Artù e di sua moglie Ginevra furono «riesumate» nel 1191, ebbe già un ruolo nella tradizione arturiana medievale. In epoca vittoriana Alfred Tennyson nei suoi *Idilli del re* riferiva che Giuseppe d'Arimatea avrebbe portato qui il Graal, e negli anni Ottanta del Novecento Marion Zimmer Bradley fece della città lo scenario di episodi centrali del suo romanzo *Le nebbie di Avalon*. Nella prima metà del XX secolo fu soprattutto John Cowper Powys a creare un ricordo duraturo del legame di Glastonbury con il Graal nel suo epico *Romanzo di Glastonbury* (1933). Tuttavia, il nostro interesse non riguarda la ricezione letteraria di Glastonbury, ma il ruolo di quel luogo nella storia religiosa del XX e XXI secolo. Tre linee di ricezione possono essere rappresentative delle diverse associazioni di Glastonbury con il Graal: la coppa blu del dottor Goodchild, l'archeologia di Frederick Bligh Bond e le varie interpretazioni del Chalice Well.

Il nome «Chalice Well» non sembra essere particolarmente antico. La prima testimonianza si trova su una mappa del 1885 del British Ordnance Survey, ente responsabile della cartografia della regione. Un giorno di febbraio dello stesso anno in cui il nome Chalice Well fu registrato per la prima volta su questa mappa, il medico inglese John Arthur Goodchild entrò nel negozio di un sarto al porto di Bordighera. Lì Goodchild acquistò una coppa di vetro a mosaico blu che era stata trovata in una nicchia durante la demolizione di un edificio. L'acquisto di un souvenir italiano non avrebbe avuto ulteriori conseguenze per la storia del Graal, se Goodchild non avesse avuto una visione dodici anni dopo, nel 1897, in un hotel di Parigi: egli venne, come riferì più tardi, sopraffatto da uno stato di paralisi in cui gli fu rivelato da una voce senza corpo che la coppa era stata un tempo in possesso di Gesù. La voce incaricò Goodchild di portare la coppa alla Bride's Hill («Collina della Sposa») a Glastonbury, dopo aver ricevuto ulteriori istruzioni; lì sarebbe passata alle cure di una donna pura. Nell'agosto del 1898 Goodchild, arrivato finalmente a Glastonbury con la coppa, in seguito a un'altra visione nascose l'oggetto nelle acque fangose del Bride's Well («Pozzo della Sposa»), una chiusa che faceva parte del sistema di drenaggio locale dell'epoca. Negli anni successivi Goodchild visitò ripetutamente Glastonbury e il Bride's Well. Non essendo accaduto nulla per anni, prese ad accennarvi sempre più spesso fra i suoi conoscenti interessati allo spiritismo e trascorse così quasi un altro decennio. Dopo un'altra visione nel settembre 1906 – a quanto si dice –, Goodchild inviò finalmente un disegno della coppa blu a un suo più giovane conoscente, Wellesley Tudor Pole, a Bristol. La sua risposta fece esaudire il desiderio di Goodchild: Janet e Christine Allen, due amiche di Wellesley, avevano trovato la coppa nel Bride's Well poco prima, presumibilmente guidate da una visione di Wellesley. Percependo la sacralità della coppa, la lavarono e la nascosero di nuovo nell'acqua. Goodchild quindi raccontò a Wellesley la sua parte della storia, e pochi giorni dopo la sorella di Wellesley, Katharine, andò a Glastonbury, cercò

109

e ritrovò la coppa blu nel fango del Bride's Well, e la portò a Bristol. Lì Janet, Christine, Katharine e Wellesley allestirono un santuario pubblico per la coppa e tennero rituali di loro invenzione, con le donne che guidavano la cerimonia; si dice che si verificarono guarigioni miracolose ed esperienze rivelatrici.

Wellesley in particolare sviluppò la convinzione che la coppa di vetro blu fosse il Santo Graal. Tuttavia la sua interpretazione non era la stessa di Goodchild, che considerava la coppa come un oggetto appartenuto a Gesù, ma che per tutta la vita prese le distanze da un'identificazione con il Santo Graal. Nel corso del 1907 Wellesley consultò un gran numero di autorità scientifiche, spirituali e religiose per far convalidare la sua interpretazione; si andava dagli esperti del British Museum all'occultista A.E. Waite, già menzionato per la sua associazione dei simboli del Graal con i Tarocchi (e che rifiutava l'identificazione della coppa blu con il Santo Graal), ai membri di alto livello della Chiesa anglicana. L'idea di Wellesley Tudor Pole trovò un terreno particolarmente fertile in Basil Wilberforce, l'arcidiacono di Westminster. Wilberforce fu presto profondamente convinto dell'identità della coppa blu con il Graal e così l'idea penetrò nel cuore dell'establishment dell'epoca, grazie alla posizione sociale dell'arcidiacono (basti ricordare egli fu colui che resse la corona reale all'incoronazione di Edoardo VII come re d'Inghilterra nel 1902 e poi la corona della regina all'incoronazione di Giorgio V nel 1910). Durante una visita di Wellesley alla casa dell'arcidiacono, anche lo scrittore americano Mark Twain vide la coppa e fu profondamente colpito dalle convinzioni di Tudor Pole e Wilberforce.

Quello che accadde dopo dietro le porte più o meno chiuse delle dimore benestanti fece presto furore. Venerdì 26 luglio 1907 la prima pagina del «Daily Express», quotidiano nazionale, riportava il titolo MISTERO DI UN «RITROVAMENTO» – IL RINVENITORE CREDE CHE SIA IL SANTO GRAAL – DUE «VISIONI» – GRANDI SCIENZIATI PERPLESSI – SCOPERTO A GLASTONBURY.

I giornali locali ripresero l'argomento. Ne seguì una vivace discussione (nel corso della quale Goodchild, in una lettera all'editore del «Daily Express», si dissociò pubblicamente dall'identificazione della coppa con il Graal); l'attenzione pubblica costrinse ora l'arcidiacono Wilberforce a prendere le distanze dal Graal di Wellesley Tudor Pole.

A lungo andare Wellesley e il suo «gruppo di Bristol» non si attennero più a un'interpretazione letterale della coppa come il Santo Graal; in una lettera successiva, Wellesley interpretò la coppa solo come un simbolo del Graal. Questo non significa, tuttavia, che il Graal o la coppa blu abbiano mai perso il loro significato per Wellesley e i suoi compagni. Al contrario, i membri del gruppo di Bristol trascorsero gran parte della loro vita in un modo o nell'altro occupandosi del tema del Graal e dell'interpretazione della coppa di vetro. Inoltre la coppa non scomparve completamente dalla vista del pubblico. Almeno due volte, nel 1911 e nel 1913, fu oggetto di visita da parte di Abdu'l Baha, l'allora capo della comunità religiosa Baha'i. Nel 1959 Wellesley Tudor Pole riuscì ad acquistare la proprietà su cui si trova il Chalice Well, organizzandola grazie a un fondo fiduciario, il Chalice Well Trust; in questo modo si assicurò che il pubblico avesse accesso alla sorgente e al giardino in perpetuo. Dal 1969 la coppa blu viene conservata lì, e così questo Graal fa ancora oggi parte del mito del giardino il cui cuore è il Chalice Well. La copertura del pozzo, il cui motivo *vesica piscis* è diventato da allora un emblema della sorgente, fu disegnata dall'architetto Frederick Bligh Bond (1864-1945), che in questo modo si ricollegò a un'altra ricerca del Graal a Glastonbury. La principale area di lavoro di Bligh Bond fu nel campo dell'architettura ecclesiastica. Era affascinato dai temi spirituali in generale, compreso il Santo Graal. Tuttavia egli era estremamente scettico riguardo all'identificazione della coppa blu del dottor Goodchild con il Santo Graal. La sua ricerca prese una direzione completamente diversa: centrale per lui era il fenomeno della «scrittura automatica», che nei primi anni del XX secolo suscitò un certo scalpore nei circoli interessati al soprannaturale.

Il medium scriveva testi senza – così si diceva – controllare coscientemente i movimenti della mano o addirittura senza essere consapevole del contenuto dei testi scritti. I testi risultanti si presentavano come comunicazioni di persone del passato, nel caso di Bligh Bond in particolare dei monaci medievali dell'abbazia di Glastonbury. Bligh Bond interpretava tali testi non come dettati dai defunti, ma come il risultato dell'accesso al subconscio, agli strati ereditati della memoria collettiva; in base a questa teoria, la scrittura automatica era per lui un modo legittimo di esplorare il passato. Il fascino che questo fenomeno esercitava sull'architetto ha suscitato grande scalpore in relazione al suo lavoro sulle rovine dell'abbazia medievale di Glastonbury. Questa abbazia, una delle più ricche d'Inghilterra nel periodo di massimo splendore, fu distrutta nel 1539 dopo la sua soppressione per opera di Enrico VIII. L'esplorazione archeologica dei luoghi iniziò nel 1908 su iniziativa di Bligh Bond e rimase inizialmente sotto la sua direzione. Tuttavia, sorsero accese polemiche quando l'architetto cominciò a dichiarare pubblicamente di fare uso della scrittura automatica nella sua ricerca storica. Queste controversie, insieme ad altre inettitudini in ambito politico locale da parte di Bligh Bond e a uno scandalo derivante dai suoi problemi coniugali, alla fine contribuirono alla sua rimozione dalla direzione degli scavi nel 1922, che per altro vennero interrotti in mancanza di un promotore come Bligh Bond. I testi generati dalla scrittura automatica lo convinsero comunque nel corso degli anni della possibilità di trovare il Graal a Glastonbury. Con questa speranza fu in grado, tra la fine degli anni Trenta e gli anni Quaranta, ormai colpito da gravi problemi di salute, di convincere alcuni sponsor americani a finanziare una ripresa delle ricerche archeologiche a Glastonbury. Tuttavia gli scavi non vennero effettivamente ripresi quando egli era ancora in vita: il coinvolgimento di Bligh Bond nei progetti divenne noto troppo presto e i permessi necessari furono rifiutati. I finanziatori di Bligh Bond, George e Blanche Van Dusen, mantennero la loro offerta di finanziare nuovi scavi anche dopo la morte di Bligh Bond nel 1945. Poiché il loro obiettivo finale era quello di trovare il Graal, a causa del loro approccio «non scientifico» fu di nuovo negato il permesso di scavare. Solo quando i donatori svincolarono il loro finanziamento da ogni condizione, gli amministratori dell'abbazia accettarono l'offerta. Nel 1951 iniziarono nuovi scavi che nei due decenni successivi avrebbero portato alla luce parti significative della storia antica dell'abbazia. Fino alla seconda metà del XX secolo è stato in definitiva il desiderio di trovare il Santo Graal a rendere possibile una parte sostanziale della ricerca scientifica condotta sul sito dell'abbazia di Glastonbury.

Per altri cercatori del Graal, e non da ultimo per la ricezione odierna del Graal a Glastonbury, il Chalice Well era ed è il centro di attrazione. La sua associazione con il Graal non sembra particolarmente antica. Il nome al pozzo potrebbe essere stato dato dai membri del seminario proprietari del sito fino al 1912; potrebbe essere stato fin dall'inizio un riferimento giocoso al ciclo di storie di re Artù, ma è altrettanto possibile che il nome della sorgente ferruginosa nell'area del seminario alluda al vino rosso e al calice della messa cattolica. I primi operatori, come Alice Buckton e Frederick Bligh Bond, consideravano il Chalice Well una sorgente sacra, ma solo successivamente fu stabilito un chiaro collegamento con il Graal. Una svolta fondamentale avvenne con il lavoro della scrittrice e occultista britannica Dion Fortune (1890-1946), il cui vero nome era Violet Mary Firth. Fu autrice di una vasta produzione di romanzi e scritti occulti, attraverso i quali, oltre che tramite la Società della Luce Interiore da lei fondata, contribuisce a definire ancora oggi il panorama delle religioni alternative di lingua inglese. Nel contesto temporale in cui opera Dion Fortune, nella prima metà del XX secolo, molte ideologie alternative erano caratterizzate da una ricezione di insegnamenti orientali; un buon esempio è la Società Teosofica, già menzionata in relazione a Rudolf Steiner. Fortune apparteneva a una corrente opposta a questo orientamento spirituale orientale impose una svolta verso le tradizioni indigene e occidentali. La sua vita si incentrava a Londra e a Glastonbury, e questo luogo, così come il Graal, ebbe un ruolo essenziale nei suoi sforzi per tornare alle tradizioni occidentali. Dal 1924 usò un edificio a Glastonbury proprio di fronte al Chalice Well come base di lavoro, dove gestì il Chalice Orchard Club come ostello e centro di pellegrinaggio a partire dal 1928. L'interpretazione che Dion Fortune diede al Graal e alla sua relazione con Glastonbury, che sviluppò principalmente nel suo libro *Glastonbury: Avalon of the*

Heart (1934), si basava sulla paganizzazione operata dagli studiosi a lei contemporanei, come la già citata Jessie L. Weston, che interpretarono il Graal dei romanzi arturiani medievali come una versione cristianizzata di un mito originariamente precristiano. Per Fortune, il Chalice Well era, in questo senso, un luogo profondamente pagano, un luogo degli «antichi dèi»: la donna riteneva che la sorgente sotterranea del Chalice Well fosse un luogo di sacrificio druidico, dove la gente veniva annegata nelle acque della sorgente rossa e dove il Re Pescatore poteva nascondere la coppa del Graal nelle acque sacre. Storicamente è dimostrabile che questa supposizione è falsa. In realtà, la presunta sorgente precristiana risale in parte alla fine del XII secolo, in parte anche alla metà del XVIII secolo.

Ma per l'esegesi della fonte nell'ambito della religiosità alternativa l'interpretazione che Fortune dava del Chalice Well come luogo di spiritualità precristiana aveva enorme efficacia. Nella sua trattazione della mitologia di Glastonbury, Fortune suggerì anche che il Graal fosse nascosto in una camera all'interno del Chalice Well, immediatamente a nord-ovest della sorgente. Inoltre, in un terzo approccio, ella tratta il Graal come la coppa portata in Gran Bretagna da Giuseppe d'Arimatea e come un eterno simbolo celeste che costituisce il prototipo spirituale del calice dell'eucaristia: il calice deriva la sua validità simbolica dal Graal, e solo una moderna ricerca spirituale del Graal porta a un'esperienza di comunione in tutta la sua profondità. Il Graal di Dion Fortune vacilla così tra misticismo precristiano e spiritualità cristiana, tra oggetto quasi concreto e simbolo astratto – ed è proprio questa fluttuazione che è tipica della storia recente del Graal.

Gli stessi principi modellano la concezione del Graal a Glastonbury oggi. Dalla fine degli anni Sessanta la città è diventata il centro per eccellenza della religiosità alternativa britannica: nelle parole dello storico Ronald Hutton la «capitale dei sogni» della Gran Bretagna. Il paesaggio delle vie della cittadina è caratterizzato dalla giustapposizione di negozi che vendono libri e oggetti rituali relativi alle religioni alternative, a Chiese cristiane di varie denominazioni e alle rovine dell'abbazia, che è gestita dagli anglicani. Un santuario dedicato a diverse divinità pagane è stato allestito in una vecchia casa a protezione di un pozzo ai margini del centro urbano, e nel cuore della città si trova il Tempio della Dea, un luogo di culto neopagano dedicato alla «Grande Dea». La varietà all'interno di questo variopinto spettro religioso si riflette anche nelle interpretazioni attuali del Chalice Well. Il cristianesimo lo associa a Giuseppe d'Arimatea: il pozzo è il luogo dove Giuseppe nascose il Graal; o Giuseppe seppellì il Graal vicino al pozzo; o nel pozzo Giuseppe lavò il Graal – ed è per questo che la sua acqua diventa ancora oggi rossa. Esistono anche interpretazioni pagane: Kathy Jones, cofondatrice e direttrice del Tempio della Dea, interpreta il Graal come un'eredità dei tempi antichi, in cui il Graal e il calderone erano collegati alla Dea. Jones sottolinea che nelle descrizioni medievali il Graal è portato dalle donne e indica lo zampillare dell'acqua ferruginosa (rossa) nel Chalice Well come prova che questo luogo apparteneva originariamente alla Dea: l'acqua rossa del grembo della terra è il sangue mestruale della Madre Terra e nel Chalice Well si trovano la coppa della saggezza e il calderone dell'immortalità della Dea.

In questo capitolo abbiamo visto il Graal comparire in un numero sorprendente di modi e forme diversi. All'inizio del XX secolo è apparso in termini cristiani come una coppa di vetro blu e come l'obiettivo della ricerca archeologica nelle rovine dell'abbazia di Glastonbury, e come Graal pagano è stato immaginato in forma di vaso di culto nascosto nel Chalice Well. Le varie interpretazioni del Graal nella odierna Glastonbury provengono anche da visioni del mondo molto diverse. Tuttavia, la maggior parte di questi approcci contemporanei ha una cosa in comune: il punto di riferimento primario del mito del Graal è il Chalice Well con il suo nome evocativo e la sua acqua ferruginosa che colora il suo canale di deflusso di rosso-arancione. Questa colorazione dell'acqua è ampiamente associata al Graal, ma proprio come la moltitudine di Graal trovati nella Glastonbury dell'inizio del XX secolo, il collegamento si realizza in modi sorprendentemente diversi: il Chalice Well è associato allo stesso tempo al sangue della Grande Dea e al sangue del Crocifisso – e il Graal può contenere entrambi. È proprio nella notevole gamma di interpretazioni storiche e contemporanee del Graal a Glastonbury che si rivela ancora una volta l'unica grande costante della sua storia: il Graal è l'oggetto di un desiderio in cui tutto muta tranne il desiderio stesso e la sua capacità di affascinare le persone più diverse nei modi più diversi.

UNO SGUARDO AL FUTURO:
VERSATILITÀ E CONTROCULTURA

Finora il Graal è apparso in luoghi molto diversi: nel Somerset, nell'Inghilterra meridionale; nei castelli catari dei Pirenei; in un mondo di fantasia del cinema medio-orientale. Altri luoghi si possono trovare facilmente andando a pescare più lontano. Per esempio, nella cattedrale di Valencia, nella sua cappella laterale, c'è un *santo caliz*, un «santo calice», venerato come reliquia dell'Ultima Cena e in tempi più recenti (ma mai esplicitamente nelle testimonianze medievali) identificato con il Graal dei romanzi cavallereschi. L'esempio del monastero di montagna di Montserrat in Catalogna, a circa 50 chilometri a nord-ovest di Barcellona, mostra quanto facilmente si possano creare nuovi siti del Graal. Nel suo diario di viaggio *Aus dem heutigen Spanien und Portugal: Reisebriefe* (1884, *Lettere di viaggio dalla odierna Spagna e Portogallo*), Ludwig Passarge sembra essere stato il primo autore a equiparare Montserrat al castello del Graal di Wagner, Montsalvat (o il Munsalvaesche di Wolfram von Eschenbach), anche se solo sulla base della somiglianza delle prime sillabe dei nomi. Negli anni Novanta del XIX secolo questa equazione, che non ha alcun fondamento storico, è stata inserita nelle prime edizioni della guida Baedeker sulla Spagna e quindi ampiamente diffusa. Nel periodo precedente la Prima guerra mondiale fu anche ripresa con entusiasmo dai nazionalisti. Per esempio, appare nell'opera degli occultisti Guido von List e Jörg Lanz von Liebenfels, che esercitavano una grande influenza nei circoli nazionalistico-esoterici dell'epoca: era emerso un nuovo luogo del Graal. Più recentemente, la ripresa del *Codice Da Vinci* di Dan Brown sembra talvolta assumere forme simili, poiché i siti del suo romanzo sul Graal attirano pellegrini, forse non soltanto appassionati di letteratura, numerosi al punto che alcuni di essi sono stati chiusi ai visitatori.

Il Graal, che secondo i testi medievali originali è stato sottratto a questo mondo e quindi si supponeva che non fosse da nessuna parte sulla Terra, in realtà sembra poter essere trovato ovunque.

Una ragione essenziale di questa versatilità del Graal sembra risiedere nel suo vuoto di significato. All'inizio della storia del Graal può esserci stato un mito precristiano dei Celti delle isole britanniche; ma anche nella prima elaborazione esplicita del materiale del Graal nel *Perceval* di Chrétien de Troyes non è chiaro cosa sia effettivamente il Graal. Già in questa fase e nei secoli successivi non è l'essenza del Graal a essere al centro della ricezione, ma la *domanda* relativa a questa essenza: «Cos'è il Graal?». Le risposte che sono state date a questo quesito nel corso del tempo sono così diverse che non hanno quasi più un punto comune di contatto. Praticamente nulla collega, per citare i due estremi dello spettro, il calderone ultraterreno della Grande Dea pagana con la linea di sangue di Gesù, che sarebbe sopravvissuta fino ai giorni nostri. Il Graal sembra a volte una tela bianca, uno schermo che riflette come uno specchio i desideri e i sogni dei rispettivi tempi e luoghi. Per la società cristiana del Medioevo, che era minacciata dalla costante scarsità, il Graal era in parte simbolo cristiano di salvezza e in parte cornucopia dispensatrice di cibo; per la società benestante dell'età moderna, che si è profondamente allontanata dal cristianesimo, è diventato privo di significato come fonte di cibo e come fonte di qualsivoglia orientamento spirituale. La sua qualità essenziale, e il segreto del suo successo, sembra essere la capacità di riflettere quasi ogni idea o desiderio concepibile. Coloro che fissano troppo intensamente il metallo lucido del sacro calice finiscono apparentemente per vedere – e senza rendersene conto – solo sé stessi.

Fa riflettere inoltre la frequenza con cui il Graal è collegato a idee e fantasie nazionaliste sulla purezza della linea di sangue. Marion Zimmer Bradley fa in modo che il conflitto tra il cristianesimo e la religione della Grande Dea, che si dispiega nel suo romanzo *Le nebbie di Avalon* e in cui anche il Graal gioca la sua parte, si svolga in gran parte distinguendo gruppi umani biologicamente definiti e attribuisce un'importanza sorprendente, religiosamente esagerata, alla purezza del sangue nobile e sacerdotale. Si fanno correlazioni tra certe linee di sangue, rinascite ripetute e una crescita interiore che si tradurrebbe in un destino speciale per la leadership spirituale e terrena. In Dan Brown il Graal come *sang real* è una linea di sangue pura e dominante. Hitler fu in grado di interpretare l'opera del Graal di Wagner come un pilastro fondamentale della sua visione razzista del mondo, e il capo delle SS Heinrich Himmler mantenne Otto Rahn, un cercatore del Graal fallito, come membro del suo staff personale. In Italia l'appropriazione del Graal da parte dell'estrema destra politica fu meno spettacolare con Julius Evola, ma altrettanto allarmante. La precoce associazione del Graal con i motivi del «sangue» (anche se si tratta del sangue del Cristo crocifisso) e della «ricerca eroica», specialmente la ricerca condotta dal singolo eroe che da solo definisce la sua missione provvidenzialmente determinata, sembra aver dato al Graal un potenziale ideale per essere abusato dalle ideologie nazionaliste. Naturalmente, si tratta solo di un potenziale, non di una necessità o di un automatismo: il Graal può servire al delirio religioso-politico, ma non necessariamente. Per Wolfram von Eschenbach il Graal serve a guadagnare il favore di una donna, e il fratello del re del Graal non nasconde di preferire di gran lunga la portatrice del Graal al Graal stesso, apparentemente con la piena approvazione del poeta. In tempi più recenti gran parte della ricezione del Graal a Glastonbury, dall'inizio del secolo ad oggi, o i monumentali romanzi di Kate Mosse rappresentano una fascinazione che incorpora principalmente il Graal in una critica controculturale di strutture di potere e di genere superate: al Graal «di destra» di Rahn è qui contrapposto un Graal «di sinistra».

Wolfram von Eschenbach, le prime due *Continuazioni* di *Perceval*, *Monty Python e il Sacro Graal* e *Il pendolo di Foucault* di Umberto Eco sono chiari esempi che il Graal non è o non deve essere preso sul serio da chiunque lo tratti. Quando viene preso sul serio, tuttavia, sembra avere la tendenza ad appartenere ad aree «alternative», controculturali o almeno che esprimono una mentalità critica, e ciò si applica invariabilmente alla sua appropriazione da parte dell'estrema destra e alla sua ricezione da parte della sinistra critica della società. In un certo senso, questo era già vero per il posto che occupava il Graal nel sistema religioso del Medioevo cristiano: sebbene da Robert de Boron in poi il Graal sia stato trattato *de facto* come una reliquia della Passione dalla letteratura dei romanzi cavallereschi, non è mai stato riconosciuto come tale dalla Chiesa ufficiale che non lo ha quasi mai preso in considerazione. Il Graal del Medioevo è un motivo cristiano, ma decisamente non ecclesiastico; anche il «santo calice» della cattedrale di Valencia, come già detto, non fu mai identificato chiaramente con il Graal dei romanzi cavallereschi del Medioevo. Il Graal fa quindi parte dell'ambito religioso, ma non della sua istituzionalizzazione ecclesiastica. In questo senso, la sua popolarità nel corso dei secoli dimostra che non esiste una correlazione diretta tra religiosità (o «spiritualità») ed ecclesialità – non nel Medioevo e non nel presente. E per concludere sulla stessa linea con uno sguardo all'oggi: successi popolari contemporanei come quelli dei romanzi di Dan Brown e Kate Mosse sono quindi anche icone di un presente occidentale forse distaccato da alcune forme di religione ecclesiastica istituzionalizzata e ufficiale, ma affatto distaccato dal potere di fascinazione dei simboli religiosi. Come mostra la storia del Graal, c'è un enorme potenziale per una profonda critica contemporanea – nel bene e nel male.

NOTA BIBLIOGRAFICA

NOTA BIBLIOGRAFICA

Una bibliografia di riferimento sui testi della tradizione medievale è pubblicata nel sito *Archives de Littérature du Moyen Age, Principaux textes médiévaux traitant du Graal*: https://www.arlima.net/eh/graal.html.

Fonti

Artù, Lancillotto e il Graal, vol. I: *La storia del Santo Graal. La storia di Merlino. Il seguito della storia di Merlino*, a cura di L. Leonardi, traduzione, introduzioni e commento a cura di C. Beretta, F. Cigni, M. Infurna, C. Lagomarsini e G. Paradisi, Torino, Einaudi, 2020.

Artù, Lancillotto e il Graal, vol. II: *Lancillotto del Lago (La marca di Gallia – Galehaut)*, a cura di L. Leonardi, traduzione, introduzioni e commento a cura di L. Di Sabatino, A.P. Fuksas, M. Infurna, N. Morato, A. Punzi ed E. Spadini, Torino, Einaudi, 2021.

Artù, Lancillotto e il Graal, vol. III: *Lancillotto del Lago (La carretta, Agravain)*, a cura di L. Leonardi, traduzione, introduzioni e commento di C. Beretta, L. Cadioli, M. Gaggero, C. Lagomarsini, E. Stefanelli e R. Tagliani, Torino, Einaudi, 2022.

Artù, Lancillotto e il Graal, vol. IV: *La ricerca del santo Graal. La morte di re Artù*, a cura di L. Leonardi, traduzione, introduzioni e commento di E. Burgio e L. Leonardi; illustrazioni originali di L. Mattotti, Torino, Einaudi, 2023.

Robert de Boron, *Il libro del Graal. Giuseppe d'Arimatea, Merlino, Perceval*, a cura di F. Zambon, Milano, Adelphi, 2005.

Id., *Merlin and the Grail. Joseph of Arimathea, Merlin, Perceval: The Trilogy of Arthurian Romances Attributed to Robert de Boron*, a cura di N. Bryant, Cambridge, Boydell and Brewer, 2001 (rist. 2005).

Chrétien de Troyes, *Cligès*, a cura di G. Agrati e M.L. Magini, Milano, Mondadori, 2007.

Id., *Erec e Enide*, a cura di C. Noacco, Roma, Carocci, 2013.

Id., *Il cavaliere del leone*, a cura di F. Gambino, Alessandria, Edizioni dell'Orso, 2011.

Id., *Perceval*, a cura di G. Agrati e M.L. Magini, Milano, Mondadori, 2007.

Id., *The Complete Story of the Grail. Perceval and its Continuations*, a cura di N. Bryant, Cambridge, D.S. Brewer, 2015.

Chrétien de Troyes e Godefroi de Leigni, *Il cavaliere della carretta (Lancillotto)*, a cura di P.G. Beltrami, Alessandria, Edizioni dell'Orso, 2004.

Wolfram von Eschenbach, *Parzival*, a cura di L. Mancinelli, traduzione e note di C. Gamba, Torino, Einaudi, 2002.

Id., *Parzival*, secondo l'ed. di K. Lachmann, 2 voll., Frankfurt a.M., Deutscher Klassiker Verlag, 2006.

Il Graal. I testi che hanno fondato la leggenda, a cura di M. Liborio, Milano, Mondadori, 2005.

I racconti gallesi del Mabinogion: saghe e leggende celtiche, a cura di G. Agrati e M.L. Magini, Milano, A. Mondadori, 1994.

Thomas Malory, *Le Morte Darthur*, introduzione di H. Moore, Ware, Wordsworth, 1996.

Id., *Storia di re Artù e dei suoi cavalieri*, a cura di G. Agrati e M.L. Magini, Milano, Mondadori, 1985.

Geoffrey of Monmouth, *La follia del mago Merlino*, Palermo, Sellerio, 1993.

Id., *Storia dei re di Britannia*, a cura di G. Agrati e M.L. Magini, Parma, Guanda, 1989.

Id., *The History of the Kings of Britain: An Edition and Translation of «De gestis Britonum»*, a cura di M.D. Reeve e N. Wright, Woodbridge, Boydell, 2007.

Parcevals saga, Valvens þáttr, a cura di K. Wolf, traduzione di H. Maclean, in *Norse Romance II: The Knights of the Round Table*, a cura di M.E. Kalinke, Cambridge, D.S. Brewer, 1999, pp. 103-216.

Alfred Tennyson, *Gli Idilli del re*, a cura di M.C. Pittaluga, Torino, Utet, 1951.

Siti

Arturian Fiction in Medieval Europe: Narrative and Manuscripts (Universiteit Utrecht): http://www.arthurianfiction.org.

The Camelot Project (University of Rochester): https://d.lib. rochester.edu/camelot-project.

The Lancelot-Graal Project (University of Pittsburg): http://www. lancelot-project.pitt.edu.

Studi

Alvar, C., *Dizionario del ciclo di Re Artù*, a cura di G. Di Stefano, Milano, Rizzoli, 1998.

Archibald, A. e Putter, E. (a cura di), *The Cambridge Companion to the Arthurian Legend*, Cambridge, Cambridge University Press, 2009.

Bampi, M., *Sui sentieri del Graal. Il «Parzival» di Wolfram von Eschenbach*, Sesto San Giovanni, Meltemi, 2022.

Barber, R., *The Holy Grail: Imagination and Belief*, London, Penguin, 2004.

Benham, P., *The Avalonians*, Glastonbury, Gothic Image Publications, 1993.

Carey, J., *Ireland and the Grail*, Aberystwyth, Celtic Studies Publications, 2007.

Cirlot, V., *Grial. Poética y mito (siglos XII-XV)*, Madrid, Siruela, 2014.

Delcorno Branca, D., *Tristano e Lancillotto in Italia: studi di letteratura arturiana*, Ravenna, Longo, 1998.

Dover, C. (a cura di), *A Companion to the Lancelot-Graal Cycle*, Cambridge, Boydell and Brewer, 2003.

Eco, U., *Storia delle terre e dei luoghi leggendari*, Milano, Bompiani, 2013.

Franz, S., *Die Religion des Grals. Entwürfe arteigener Religiosität im Spektrum von völkischer Bewegung, Lebensreform, Okkultismus, Neuheidentum und Jugendbewegung (1871-1945)* (= Archiv der deutschen Jugendbewegung 14), Schwalbach/Ts., Wochenschau-Verlag, 2009.

Green, T., *Arthuriana. Early Arthurian Tradition and the Origins of the Legend*, Louth, The Lindes Press, 2009.

Hopkinson-Ball, T., *The Rediscovery of Glastonbury: Frederick Bligh Bond, Architect of the New Age*, Stroud, Sutton Publishing, 2007.

Hutton, R., *Witches, Druids and King Arthur*, London-New York, Hambledon and London, 2003.

Jones, K., *In the Nature of Avalon: Goddess Pilgrimages in Glastonbury's Sacred Landscape*, Glastonbury, Ariadne Publications, 2007.

Lacy, N.J. (a cura di), *The New Arthurian Encyclopedia*, New York-London, Garland Publishing, 1996.

Lagomarsini, C., *Il Graal e I cavalieri della Tavola Rotonda. Guida ai romanzi francesi in prosa del Duecento*, Bologna, Il Mulino, 2020.

Lange, H.J., *Otto Rahn und die Suche nach dem Gral. Biografie und Quellen*, Engerda, Arun, 1999.

125

Loomis, R.S. (a cura di), *Arthurian Literature in the Middle Ages: A Collaborative History*, Oxford, Clarendon Press, 1959.

Meneghetti, M.L., *Il romanzo nel Medioevo*, Bologna, Il Mulino, 2010.

Mertens, V., *Der Gral. Mythos und Literatur*, Stuttgart, Reclam, 2003.

Peltason, T., *Learning How to See: «The Holy Grail»*, in «Victorian Poetry», 30 (1992), pp. 463-482.

Purton, V., *Darwin, Tennyson and the Writing of «The Holy Grail»*, in Id. (a cura di), *Darwin, Tennyson and their Readers: Explorations in Victorian Literature and Science*, London-New York-Delhi, Anthem Press, 2013, pp. 49-63.

Rahn, O., *Crociata contro il Graal. Grandezza e caduta degli Albigesi*, Saluzzo, Barbarossa, 1979.

Id., *La corte di Lucifero. I catari guardiani del Graal*, Saluzzo, Barbarossa, 1989.

Rahtz, P. e Watts, L., *Glastonbury: Myth & Archaeology*, Stroud, The History Press, 2009.

Rolland, M., *Re Artù*, Bologna, Il Mulino, 2011.

Roversi Monaco, F., *Fra Camelot e Sherwood. Artù e Robin Hood nella cultura audiovisiva contemporanea*, in «Personaggi storici in scena», Macerata, Eum, 2020, pp. 59-79.

Sanfilippo, M., *Camelot, Sherwood, Hollywood*, Roma, Cooper, 2006.

Schnurbein, S. von, *Kräfte der Erde – Kräfte des Blutes. Elemente völkischer Ideologie in Fantasy-Romanen von Frauen*, in «Weimarer Beiträge», 44 (1998), pp. 600-614.

Séguy, M., *Le Livre Monde. «L'estoire del saint Graal» et le cycle du «Lancelot-Graal»*, Paris, Champion, 2017.

Simek, R., *Artus-Lexikon. Mythos und Geschichte, Werke und Personen der europäischen Artusdichtung*, Stuttgart, Philipp Reclam, 2012.

Staines, D., *Tennyson's «The Holy Grail»: The Tragedy of Percivale*, in «The Modern Language Review», 69 (1974), pp. 745-756.

Waite, A.E., *The Hidden Church of the Holy Graal*, London, Rebman, 1909.

Weston, J.L., *Indagine sul Santo Graal. Dal rito al romanzo*, Palermo, Sellerio, 1994.

Zambon, F., *Metamorfosi del Graal*, Roma, Carocci, 2012.

INDICE DEI NOMI
E DELLE COSE NOTEVOLI

INDICE DEI NOMI
E DELLE COSE NOTEVOLI

Crediti fotografici e fonti

FIG. 1. Foto © M. Egeler, 2013.

FIG. 2. Foto © M. Egeler, 2013, per gentile concessione di Simona Roversi, Arcivescovado di Modena-Nonantola.

FIG. 3. [Anonimo], *The Arras Tapestries of the San Graal at Stanmore Hall*, in «The Studio», 15, 1899, p. 102.

FIG. 4. Foto © M. Egeler, 2011.

FIG. 5. Foto © M. Egeler, 2011.

FIG. 6. Foto © M. Egeler, 2013.

Finito di stampare nel febbraio 2024 presso
Grafica Veneta – via Malcanton 2 – Trebaseleghe (PD)
Printed in Italy

UNIVERSALE PAPERBACKS IL MULINO

Ultimi volumi pubblicati: